Dr Nutrition
pour bébés et enfants

Dr Nutrition
pour bébés et enfants

MIEUX MANGER POUR MIEUX GRANDIR

Vicki Edgson

MODUS VIVENDI

À Flo et Ollie, Jack et Shelley

Je remercie sincèrement Juliet Dennis de ses talents de recherchiste, Claire Wedderburn-Maxwell de ses innombrables mots d'encouragement et Colin Ziegler qui n'a pas baissé les bras devant l'auteure.

Je remercie mille fois les mannequins suivants et leur mère : Flo, Ollie et Shelley Greensted, Sam Morgan et Clare Graham, Isabel et Clare King, Mimi et Juliet Dennis, Maya et Varsha Sanderson, Eric, Juam et Ellie Jay, Naadirah Qazi et Lara Bhogal.

Copyright © Collins & Brown Limited, 2005
Copyright du texte © Vicki Edgson, 2005
Copyright de l'avant-propos © Dr Mike Thomson,
2005 Copyright des photographies © Collins
& Brown Limited, 2005, sauf pour p. 12 ©
Bubbles /Lucy Tizard, 2005
Paru sous le titre original :
TheFoodDoctor for babies and children

LES PUBLICATIONS MODUS VIVENDI INC.

5150, boul. Saint-Laurent,
Montréal (Québec) Canada H2T 1R8

Design de la couverture : Marc Alain
Infographie : Modus Vivendi
Traduction : Jean-Robert Saucyer

Dépôt légal : 3e trimestre 2005
Bibliothèque nationale du Québec
Bibliothèque nationale du Canada
Bibliothèque nationale de Paris

ISBN 2-89523-345-4

Nous reconnaissons l'aide financière du gouvernement du Canada par l'entremise du Programme d'aide au développement de l'industrie de l'édition (PADIÉ) pour nos activités d'édition. Gouvernement du Québec — Programme de crédit d'impôt pour l'édition de livres — Gestion SODEC

AVIS DE SÉCURITÉ

Les renseignements présentés ici ne sauraient aucunement remplacer les conseils d'un médecin. Tout enfant dont l'état pathologique exige une supervision médicale ou qui montre des symptômes préoccupants devrait être vu par un médecin praticien dûment qualifié.

Table des matières

Avant-propos

du Dr Mike Thomson

Au double titre d'expert-conseil en gastro-entérologie pour enfants et père de deux, bientôt trois, petits, je ne saurais trop recommander la lecture de *Docteur nutrition pour bébés et enfants*.

Cet ouvrage livre aux parents des conseils sensés et pratiques, appuyés sur des données empiriques, qui trouveront écho au quotidien, afin qu'ils puissent distinguer le vrai du faux dans les informations souvent déroutantes qui nous parviennent des spécialistes de la nutrition. Il s'attarde aux erreurs répandues et aux modes du moment, démonte les faussetés sur l'alimentation et, à dire vrai, il existe plein de conceptions erronées et de contre-vérités qui circulent à propos de la nutrition des enfants de nos jours.

Avec un peu de chance, cela permettra aux nouveaux parents et à ceux qui comptent de l'expérience de déterminer ce qu'est une alimentation saine pour leurs enfants sans pour autant sombrer dans l'obsession. Les menus planifiés par l'auteur s'avèrent particulièrement utiles si, comme moi, votre imagination en cuisine est tarie au bout d'un jour ou deux. Il importe de ne pas vous culpabiliser sous l'influence de ceux qui prétendent vouloir vous aider, des amis et membres de votre famille bien intentionnés, sans parler des médias qui, dans notre société, traitent souvent de l'alimentation des enfants.

Docteur nutrition pour bébés et enfants se veut un guide pratique pour garantir que l'alimentation de votre enfant atteint l'équilibre en s'appuyant sur les préceptes de la nutrition. Vous y trouverez des conseils sur tous les aspects de la question, qui ne sont toutefois pas trop didactiques quant aux enjeux connexes à la nutrition. La raison d'être de la nutrition, des vitamines et des minéraux est clairement expliquée et, en terminant la lecture de l'ouvrage, j'ai eu le sentiment que l'alimentation de mes enfants est carencée à certains points de vue. Cependant, j'ai trouvé dans ce livre des conseils pratiques et utiles pour y pallier.

Je suis convaincu que tous les parents et tous ceux qui s'occupent d'enfants puiseront dans ce livre de précieuses ressources pour amener les petits à s'alimenter convenablement malgré l'omniprésence de la malbouffe et de la restauration rapide.

Dr Mike Thomson
M.B., Ch.B., D.C.H., F.R.C.P., F.R.C.P.C.H. et M.D.
Expert-conseil en nutrition et gastro-entérologie pour les enfants

Le dicton selon lequel on est ce qu'on mange ne saurait être plus vrai que lorsqu'il s'agit des enfants.

Introduction

La différence est incommensurable entre un enfant que l'on nourrit et un autre que l'on alimente de façon optimale. La vivacité d'esprit, le sommeil profond, l'énergie joyeuse qui n'est pas de l'hyperactivité et l'absence virtuelle de maladie sont la norme chez les enfants qui reçoivent les aliments nécessaires à leur plein épanouissement.

Nous sommes immanquablement en présence de plusieurs points de vue divergents et la théorie selon laquelle grand-maman avait raison l'emporte plus souvent qu'autrement. Il faut cependant ajouter foi aux nombreux travaux de recherche que l'on mène actuellement autour des aspects fonctionnels de l'organisme et de l'esprit des enfants en pleine croissance. Le dicton voulant que l'on soit ce que l'on mange ne saurait être plus vrai que dans le cas des enfants. Le boom qu'a connu le secteur de la restauration rapide au cours des 10 à 15 dernières années, couplé à la prolifération remarquable des kilos en trop, soulève la question suivante : existe-t-il un lien entre la qualité des aliments que nous consommons et la propagation de l'obésité ?

La responsabilité incombe à chaque parent aimant de savoir quels aliments assureront la croissance et le développement optimaux de son enfant et cet ouvrage cherche justement à vous livrer toute l'information pertinente, sous une forme facilement compréhensible, afin que vous soyez à même d'évaluer ses besoins. Tout en sachant que chaque enfant est unique, vous devez tenir compte d'exigences qui dépassent celles de l'enfant moyen et nous vous conseillons de chercher les conseils d'un expert-conseil en nutrition, d'une diététiste ou d'un omnipraticien pour vous assurer d'un avis professionnel.

Toutefois, alors que vous vous occupez de nourrir votre enfant au quotidien, nous espérons que vous vous souciez de respecter les préceptes élémentaires de la nutrition d'un enfant en pleine croissance. Nul ne contestera la commodité – et les incidences négatives – des aliments précuisinés mais nous tenterons ici de vous faire voir en quoi vous pouvez améliorer l'alimentation et le développement de votre enfant.

À dire vrai, rien ne saurait remplacer les aliments frais, bien qu'à cette idée certains cèdent au découragement. « Qui a le temps de préparer des aliments frais ? », demandent-ils. Ce à quoi nous répondons qu'il faut autant de temps pour rincer une pomme que pour ouvrir un sac de croustilles. Les aliments frais sont attrayants, il émane d'eux un parfum agréable et ils ont toujours meilleur goût. En prime, ils fournissent davantage d'éléments nutritifs que leurs équivalents du commerce. Il faut toutefois savoir que tous les aliments préparés ne sont pas mauvais pour votre enfant et dans ce livre nous vous aiderons à trier le bon grain de l'ivraie afin que vos choix soient mieux éclairés.

Nous estimons que chaque enfant devrait avoir cette chance au début de sa vie et nous souhaitons qu'à la lecture de ce livre vous saurez tirer autant de renseignements que d'agrément !

Les enfants qui prêtent main-forte à la cuisine se montrent en général moins capricieux à table.

Les aliments amis des enfants

Une saine alimentation

« La Nature peut guérir, lorsqu'on le lui permet. »

Dr Bernard Jensen, 1988

Une saine alimentation offre à l'organisme l'apport régulier d'une grande variété d'éléments nutritifs qui satisfont en tout temps aux exigences relatives à son développement et à sa survie et ce, la vie durant.

Afin de savoir et de comprendre quels sont les matériaux nécessaires au développement d'un corps sain et vigoureux, il faut posséder quelques rudiments d'anatomie et de physiologie. Si cela vous semble compliqué, ne vous rebutez pas ; nous parlons de données élémentaires, non pas des particularités et des fonctions de chaque cellule. Chacun de nous a besoin de nombreux types d'aliments auxquels carburent les nombreuses fonctions de l'organisme. Certains aliments sont nécessaires aux rouages du cerveau, d'autres à l'articulation des muscles, d'autres encore aux mécanismes du cœur et des poumons. Cela est encore plus vrai chez les enfants car, depuis l'instant de leur conception et tout au long de leur croissance rapide, ils doivent recevoir tous les aliments essentiels.

Du sein au biberon

 Le lait maternel contient tous les éléments nutritifs nécessaires au développement et à la croissance d'un nouveau-né au cours des six premiers mois de sa vie, ainsi que les anticorps qui fortifieront son système immunitaire, en particulier au niveau des tractus digestif et respiratoire. Un nouveau-né est bien sûr vulnérable au cours des six premiers mois de son existence et le lait maternel peut lui apporter la meilleure protection qui soit contre les infections et les allergènes. Une recherche concluait récemment que les nourrissons qui reçoivent le sein ont un quotient intellectuel supérieur à ceux qui boivent du lait maternisé dès la naissance. Toutefois, la mère n'est pas toujours en mesure d'allaiter son enfant ; si pour une raison quelconque l'allaitement naturel est hors de question, il faut trouver un professionnel qui s'assurera que l'enfant reçoit une préparation lactée qui répond à ses besoins.

Raisons en faveur d'un sevrage précoce :

- Bébé doit consommer davantage que le lait maternel ;
- Retour au travail ;
- Maman produit trop peu de lait ;
- Mastite chronique ;
- Bébé est insatiable ;
- Dépression *post-partum*.

Transition entre le sein et le biberon

En raison de la cadence à laquelle bat notre vie, les nouvelles mamans ont tendance à allaiter leurs nourrissons moins longtemps qu'autrefois sans songer à l'incidence que cela aura sur leur santé. Les six premiers mois sont naturellement une période des plus importantes; aussi, conseille-t-on d'allaiter pendant au moins quatre mois afin de favoriser le développement du système immunitaire avant de sevrer bébé et lui donner du lait maternisé. Le lait maternel est un aliment complet qui apporte au nouveau-né tous les éléments nutritifs nécessaires à sa croissance et à son développement. Cependant, d'autres facteurs ont une incidence, en particulier s'il s'agit d'un gros nourrisson qui exige davantage que le sein maternel ne peut lui fournir. En ce cas, il importe de suppléer au lait naturel par des préparations lactées.

En règle générale, on conseille aux mères de sevrer leurs enfants et de les initier peu à peu au biberon pendant une période de plusieurs semaines pour permettre à leur système immunitaire et à leur tractus digestif de s'adapter au contenu nutritif de la préparation qu'on leur donne.

> Le lait maternel est un aliment complet qui apporte au nouveau-né tous les éléments nutritifs nécessaires à sa croissance et à son développement.

Qu'est-ce que le lait maternisé?

Le lait maternisé est habituellement préparé à partir d'extraits de lait de vache; pourtant, le lait de vache a peu de ressemblance avec le lait maternel. Les préparations à base de soja conviennent davantage à certains nouveau-nés, mais pas à tous, car le lait de soja figure au palmarès des dix allergènes (il s'agit de substances qui favorisent une réaction allergique) les plus répandus chez les nourrissons et les enfants. L'arrivée récente de préparations lactées à base de lait de chèvre représente une nette amélioration pour les nourrissons qui ne tolèrent pas le lait de vache. Par ailleurs, c'est sa teneur élevée en matières grasses essentielles qui rend le lait de chèvre précieux, qui prévient la calotte séborrhéique et l'eczéma chez les bébés dont la peau est sensible. Le lait de chèvre est celui qui se rapproche le plus du lait maternel et c'est pourquoi nous le conseillons vivement. On trouve également au rayon du lait maternisé des préparations exemptes de caséine et de produits laitiers.

Sevrer bébé quand :

- ■ il a encore faim après l'allaitement.
- ■ il se réveille au milieu de la nuit.
- ■ il s'intéresse à d'autres aliments.
- ■ il se montre agité et irascible.
- ■ il manque d'énergie et est très fatigué.

Effets indésirables du lait maternisé

Votre nouveau-né peut mal réagir à certaines préparations lactées. L'une ou l'autre des réactions suivantes pourrait indiquer une intolérance, auquel cas il faudrait changer de préparation sur-le-champ pour éviter davantage de complications.

- ■ Apparition d'un érythème
- ■ Colique ou fléchissement des genoux vers la poitrine
- ■ Pleurs continuels
- ■ Taches sur le derrière
- ■ Peau sèche, eczéma ou prurit
- ■ Sommeil agité, irrégulier
- ■ Vomissement
- ■ Enflure des lèvres ou de la bouche
- ■ Respiration sifflante ou difficulté de respirer
- ■ Selles molles et fréquentes

À la naissance, la graisse compte pour 14 pour cent du poids total d'un nouveau-né, ce pourcentage grimpe à 25 lorsque l'enfant atteint l'âge de 6 mois. Il est donc essentiel de fournir à l'enfant des matières grasses en proportions équilibrées pour veiller à la santé de ses systèmes immunitaire, hormonal et nerveux, lesquels sont tous tributaires de ces matières.

Les préparations lactées ont plusieurs formes, des poudres qu'il faut allonger d'eau stérilisée aux laits maternisés que l'on verse de leur boîte. On effectue quantité de recherches en vue d'améliorer la qualité et l'apparence des préparations lactées; aussi, devriez-vous faire le tour des supermarchés et des boutiques d'aliments naturels pour découvrir les produits qui s'offrent à vous. Il est primordial d'observer les indications du fabricant pour vous assurer que l'alimentation de votre enfant est équilibrée.

Si votre enfant a moins de quatre mois, vous pourriez lui donner du lait maternisé en plus de l'allaiter afin de le nourrir adéquatement sans vous épuiser. Il existe bon nombre de préparations lactées dans le commerce mais il importe avant tout de distinguer celles qui ne conviennent pas à votre enfant. Reportez-vous à l'intitulé : « Effets indésirables du lait maternisé » à la page 13 afin de déceler les indices d'une éventuelle intolérance à une préparation lactée.

Choisir parmi plusieurs préparations lactées

La caséine et le lactosérum sont des protéines que l'on trouve dans le lait, et ce sont les préparations à base de lactosérum (qui dosent le lactosérum et la caséine dans une proportion de 60 : 40) qui ressemblent le plus au lait maternel. Les nourrissons digèrent plus facilement les protéines présentes dans le lactosérum et ces préparations conviennent aux nouveau-nés de moins de trois mois. Les préparations qui contiennent de la caséine en proportion supérieure (soit environ 25 pour cent de lactosérum et 75 pour cent de caséine) ressemblent davantage au lait de vache. Elles conviennent mieux aux bébés plus développés, qui ont plus d'appétit car la digestion de la caséine est plus longue et l'enfant reste repu plus longtemps.

Une question d'immunité

Ainsi que nous l'avons vu précédemment, les matières grasses essentielles que l'on trouve dans le lait maternel et, dans une moindre proportion, dans le lait maternisé sont nécessaires au développement du système immunitaire. Le lait d'une mère contient tous les gras essentiels selon des proportions idéales pour son enfant, qui varient d'un nourrisson à l'autre. Si votre enfant est enclin aux rhumes, aux infections et aux réactions allergiques, cela pourrait indiquer que son système immunitaire n'est pas résistant. Il pourrait parfois être indiqué d'ajouter à son alimentation des suppléments de matières grasses essentielles provenant de source végétale (par exemple de l'extrait de tournesol, de graines de lin ou de carthame) mais jamais sans l'autorisation d'une diététiste ou d'un spécialiste des soins de santé.

Composants essentiels

Afin d'assurer la nutrition optimale de votre enfant, il vous faut d'abord comprendre ce que sont les aliments et le rôle qu'ils tiennent dans son développement. Nous avons tous entendu parler de protéines, de glucides, de matières grasses et de fibres mais on connaît moins bien l'utilisation qu'en fait l'organisme et la raison de leur importance.

PROTÉINES: les briques et le mortier de l'organisme

Les protéines sont essentielles au développement de la structure squelettique (notamment les os, les cartilages, les ligaments, les dents, les ongles de votre enfant) de même qu'au fonctionnement du système hormonal et aux messagers chimiques du cerveau et du système nerveux.

Tous les animaux, qu'ils volent, qu'ils rampent ou qu'ils nagent, sont constitués de protéines primaires. Les protéines secondaires sont dérivées de sources végétales telles que les noix, les graines et les légumineuses. Elles se décomposent en acides aminés dans le tractus digestif, qui sont les composants essentiels de chaque cellule, organe et système de l'organisme. Il est impossible de refaire l'organisme sans protéines, donc il faut chaque jour d'importantes quantités aux premiers stades de la croissance afin de satisfaire aux exigences d'un corps qui croît rapidement. Le dicton anglais voulant que les grands chênes soient issus de petits glands démontre bien la place que tiennent les protéines dans l'épanouissement du corps humain.

Un chiffre à retenir

Il existe 22 acides aminés qui sont le produit décomposé des protéines que nous consommons. Huit de ces acides sont dits essentiels parce que l'organisme ne peut les fabriquer et que nous devons donc les tirer de notre alimentation. Tous les produits d'origine animale contiennent ces huit acides aminés essentiels et les végétariens doivent donc consommer un mélange de noix, de graines et de céréales pour les obtenir car ces aliments ne contiennent que des protéines « partiellement complètes ».

Le lait maternel ne contient que 1,5 pour cent de protéines mais voilà tout ce dont a besoin un nouveau-né pour que sa taille double pratiquement au cours de ses six premiers mois. Nous croyons souvent à tort qu'une grande quantité de protéines est essentielle alors qu'à

Les meilleures protéines pour enfants

Le lait, le fromage, le yaourt, la viande, le poisson, la volaille, les légumineuses, les lentilles, les graines de quinoa, de millet et d'avoine, les noix (à l'exception des arachides) et les grains, les produits à base de soja (entre autres le lait de soja et le tofu) et les protéines que l'on tire en moindre quantité des légumes.

cet âge il est plus dangereux d'en surconsommer que d'en être privé. Les protéines produisent un sous-produit acide et une consommation trop abondante risque d'accabler les reins d'un jeune enfant. Reportez-vous au tableau de la page 81 portant sur le sevrage et les premiers aliments pour voir quel type de préparation lactée vous devriez donner à votre enfant.

GLUCIDES : le carburant de l'organisme

L'organisme emploie les glucides afin de produire de l'énergie et de la chaleur. Ils sont décomposés en glucose qui est ensuite acheminé vers les muscles, le cerveau et les autres organes afin de favoriser la réflexion, le mouvement, la parole, la respiration et la digestion des aliments. Les glucides devraient occuper la part du lion (environ 60 pour cent) de l'alimentation quotidienne d'un enfant et il importe qu'ils proviennent de différentes sources dont les céréales, le pain, les légumineuses, le riz et les autres céréales, en plus d'une variété de fruits et de légumes.

Simples et complexes

Tous les glucides sont décomposés en deux grands groupes : les simples et les complexes. Les glucides simples ont été transformés et raffinés dans le but de préparer d'autres produits tels qu'une miche de pain ou un gâteau fait de blé, de seigle ou d'autres céréales. Toutefois, lors de cette transformation, plusieurs éléments nutritifs essentiels sont perdus, de même qu'une bonne part des fibres, ce qui facilite de beaucoup la digestion et l'absorption des glucides tout en augmentant rapidement le taux de glucose sanguin. Voilà ce qu'on appelle des aliments qui procurent de l'énergie de courte durée car, s'ils sont énergisants, leur effet est vite passé. Reportez-vous à la section intitulée « Sucre et épices » entre les pages 38 à 41 pour en apprendre davantage à ce sujet.

Les glucides complexes proviennent des céréales, des légumineuses, des légumes et des fruits qui n'ont pas été transformés, c.-à-d. que leur contenu nutritionnel demeure intouché. Ils devraient constituer la plus grande part de l'apport glucidique quotidien d'un enfant car leur digestion est plus longue et que, par conséquent, ils fournissent plus longtemps de l'énergie.

Conseil

Tous les enfants ont chaque jour besoin de plusieurs portions de protéines, dont l'une devrait être de source animale, pour s'assurer qu'ils ont leur pleine ration d'acides aminés.

Les glucides simples et complexes

Simples : Le pain, les pâtes, les biscuits, les croissants, les craquelins, les pâtisseries, les bonbons, les tablettes de chocolat, les croustilles et autres grignotines du commerce, les céréales transformées, le riz blanc, le sucre, les confitures, les marmelades, les gelées et les boissons gazeuses.

Complexes : Tous les fruits, les légumes, la farine complète, le riz brun et le riz sauvage, les craquelins et biscuits de blé entier, les céréales complètes pour le petit déjeuner, le gruau d'avoine ou de millet, le muesli, les céréales mélangées, les crêpes de sarrasin et les légumineuses.

MATIÈRES GRASSES : messagers, transporteurs et huiles pour l'organisme et le cerveau

Nous lisons tant de commentaires contradictoires au sujet des matières grasses présentes dans notre alimentation, sans comprendre les différences entre celles qui sont saines et celles qui ne le sont pas. Il est vrai qu'une quantité excessive de gras animal et de sucre raffiné (tels qu'on les trouve dans les bonbons, les gâteaux et les biscuits) peut entraîner l'obésité, le diabète et les maladies du cœur à un âge plus avancé mais il est essentiel de consommer des matières grasses saines si l'on veut rester en santé.

Ces matières grasses essentielles sont nécessaires au développement du cerveau et du système nerveux, du système hormonal et du tractus digestif de l'enfant, de même qu'à la croissance de la rétine. Ils sont nécessaires à la santé du cœur et du système cardiovasculaire ainsi qu'au fonctionnement des poumons et du système respiratoire.

Douce comme une peau de bébé

Tous les nouveau-nés n'ont pas la peau douce et voilà l'un des indices permettant de déceler facilement une carence en matières grasses essentielles. Ces dernières servent à lubrifier la peau, à l'intérieur comme à l'extérieur, et, si votre enfant souffre de la moindre affection cutanée, il se pourrait qu'il n'obtienne pas ou ne tire pas toutes les matières grasses saines de son alimentation.

Les matières grasses essentielles sont appelées ainsi car on doit les tirer de son alimentation puisque l'organisme ne peut les fabriquer. Elles s'inscrivent en deux grandes catégories, les acides gras oméga-3 et oméga-6.

Les acides gras

Les matières grasses qui se trouvent dans la viande rouge, le poulet et la volaille, les produits laitiers et le fromage sont des gras dits saturés, non pas des gras essentiels. Ils tiennent également un rôle important dans la croissance de l'enfant mais il faut s'assurer de ne pas surcharger son système digestif de ces gras dès le plus jeune âge.

Matières grasses essentielles

Oméga-3 : Le saumon, le thon, les sardines, le maquereau, les graines de lin, de tournesol, de citrouille, de sésame, les noix, les grains complets et le poulet.

Oméga-6 : Les amandes, les noisettes, les pignons, les graines de tournesol, de citrouille, de sésame, le maïs et l'avocat.

■ Il faut introduire quelques-unes de ces matières grasses dans l'alimentation de l'enfant après son premier anniversaire afin de minimiser les possibilités d'allergie. Reportez-vous à la deuxième section pour savoir quels aliments introduire dans son alimentation en fonction des différentes étapes de son développement.

Une trop grande quantité de gras saturés concurrencera les acides gras essentiels au chapitre de l'absorption et gênera l'accomplissement de leurs fonctions. Il est conseillé de prévoir un repas par jour qui soit riche en protéines animales (qui véhiculent les gras saturés) et que le reste de l'apport en protéines soit dérivé de sources autres qu'animales. Il faut cependant savoir que les enfants ont besoin d'une plus grande quantité de gras essentiels et saturés pendant les mois d'hiver afin de leur fournir la chaleur nécessaire à cette période de l'année.

Nous savons maintenant que les cellules adipeuses d'un enfant se fixent au cours des cinq premières années de son existence et un enfant qui est obèse à cet âge est susceptible d'avoir un problème de surpoids le reste de sa vie.

FIBRES : le chaînon manquant

On mesure la bonne alimentation d'un enfant à l'aune de sa digestion, de ses facultés d'absorption et d'élimination. Une carence de liquides et de fibres provoque la constipation ainsi qu'une piètre élimination au niveau des intestins, des reins, de la vessie et du tissu cutané. On trouve des fibres sous deux formes dans les aliments d'un enfant, soluble et insoluble, et les deux sont nécessaires à l'élimination.

On connaît peut-être moins le rôle que tiennent les fibres pour équilibrer le taux de glucose sanguin, de qui relève la production d'énergie, la faculté de concentration et les fonctions du cerveau. Les fibres ralentissent la digestion et l'absorption des glucides et à ce titre assurent un dégagement plus régulier de l'énergie sur une longue période. Nous en reparlerons plus en détail lorsqu'il sera question de l'indice glycémique des aliments aux pages 38 et 39.

Les fibres solubles se trouvent dans les fruits et les légumes, et dans quelques grains. Toutefois, la préparation de jus retire des fruits une bonne part de leur teneur en fibres; aussi faut-il servir les jus de fruits accompagnés d'un fruit. Les fruits et les légumes que l'on réduit en purée avant de les donner aux nouveau-nés conservent leurs fibres.

On trouve des fibres insolubles dans les balles des céréales telles que le blé et le seigle; ces fibres nettoient le tractus intestinal. Elles peuvent être abrasives à l'intérieur du tractus intestinal sous-développé d'un nourrisson et nous déconseillons d'introduire trop de céréales dans son alimentation (à l'exception du riz) avant l'âge de 12 mois.

La pyramide alimentaire

La pyramide alimentaire reproduite ci-contre est fondée sur les résultats des plus récentes recherches. Votre enfant a besoin d'un apport quotidien en glucides, en protéines et en matières grasses pour s'assurer qu'il dispose de suffisamment d'énergie, pour veiller à sa croissance et à son système immunitaire. Nul n'a prouvé qu'un enfant doit consommer plus de protéines par kilogramme qu'un adulte mais il importe de comprendre le nombre de portions dont il a besoin chaque jour en fonction des différentes étapes de sa croissance (reportez-vous également à « Le sevrage : mode d'emploi » aux pages 80 et 81 et à « Ses premiers aliments solides » aux pages 90 et 91).

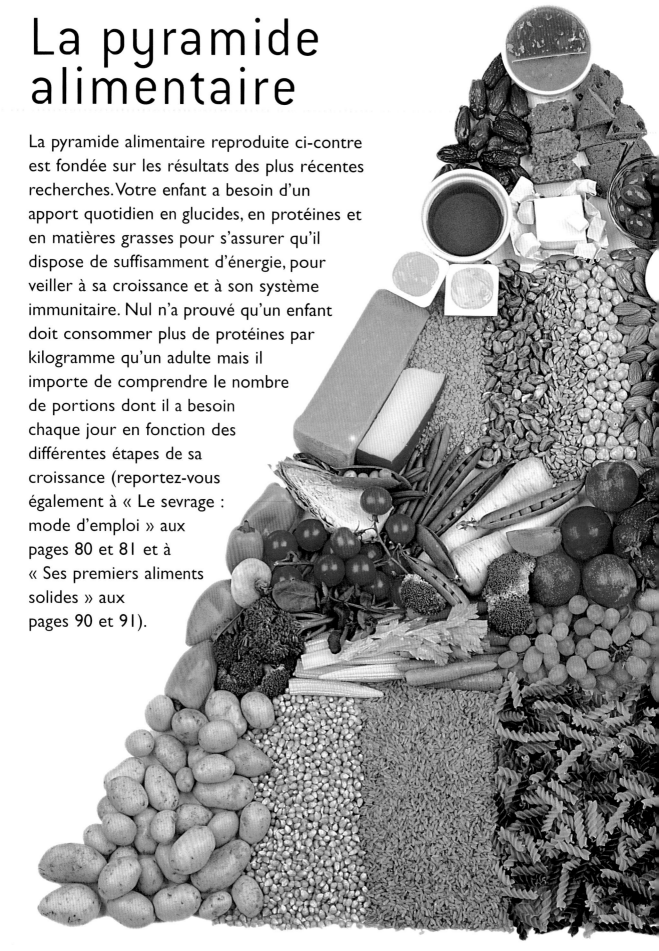

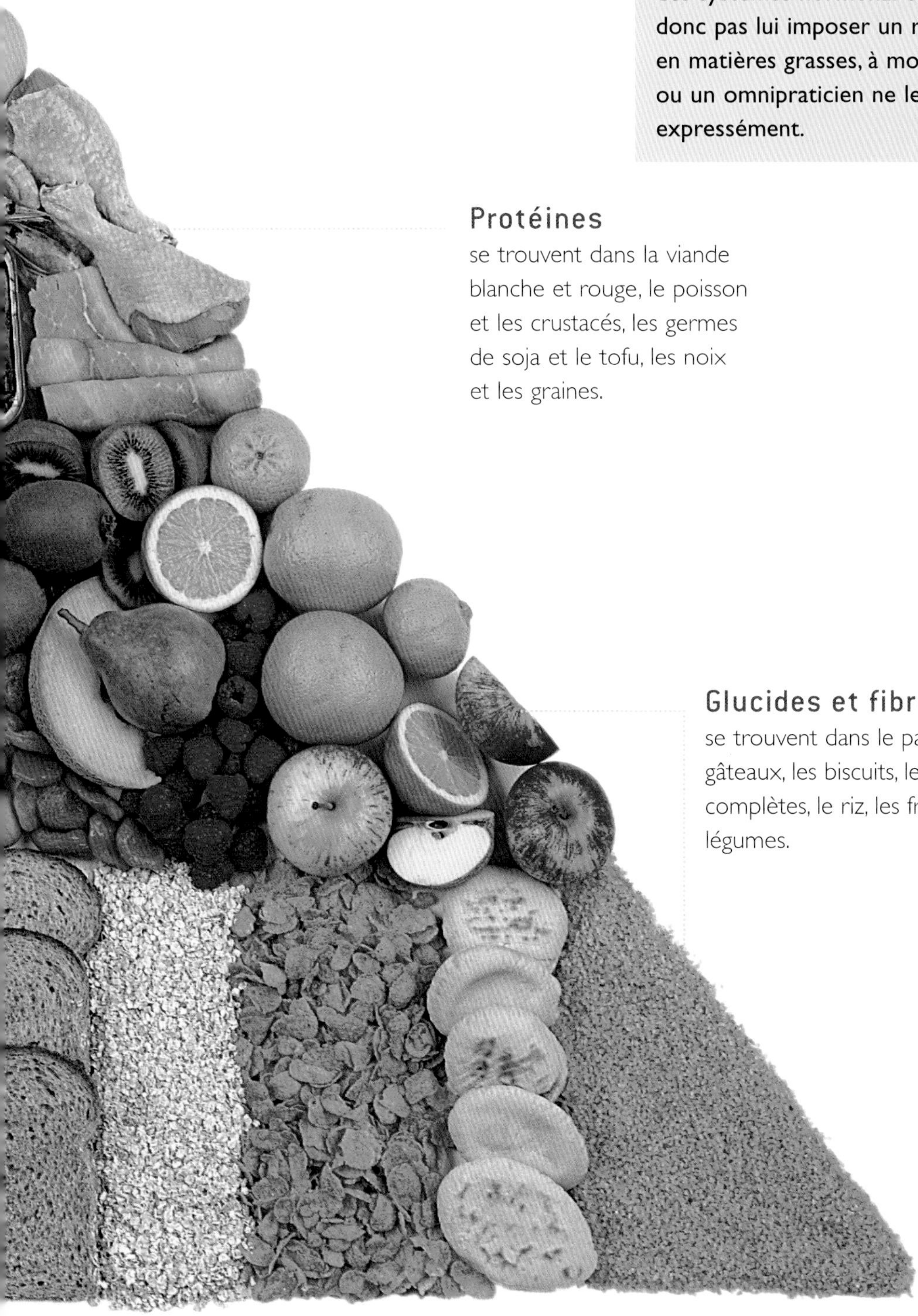

Matières grasses

se trouvent seulement dans
les poissons gras, la viande
rouge, la volaille, les produits
laitiers, les noix et les graines.

Cholestérol

Un enfant de cinq ans et plus peut consommer
chaque jour la même quantité de cholestérol
qu'un adulte, c.-à-d. pas plus de 300 mg par
jour. Toutefois, avant l'âge de deux ans, le
cholestérol présent dans le lait maternel et
le lait maternisé contribue au développement
des systèmes hormonal et nerveux; on ne doit
donc pas lui imposer un régime à faible teneur
en matières grasses, à moins qu'un pédiatre
ou un omnipraticien ne le prescrive
expressément.

Protéines

se trouvent dans la viande
blanche et rouge, le poisson
et les crustacés, les germes
de soja et le tofu, les noix
et les graines.

Glucides et fibres

se trouvent dans le pain, les
gâteaux, les biscuits, les céréales
complètes, le riz, les fruits et les
légumes.

Conseil

Offrez un morceau de fruit à votre enfant en guise de collation plutôt que des croustilles ou du chocolat. Les bananes sont la meilleure source d'énergie, suivies des raisins, des pêches et des nectarines.

La pyramide alimentaire

La pyramide alimentaire vous permettra de mieux saisir quelles proportions de protéines, de glucides et de matières grasses votre enfant doit consommer. Il importe de connaître les aliments qui s'inscrivent dans telle et telle catégories, et ceux qui appartiennent à plusieurs groupes. Ainsi, le poisson est source de protéines primaires (parce qu'il appartient au règne animal) mais il s'inscrit également dans la catégorie des matières grasses car ses huiles contiennent des acides gras essentiels qui participent au développement des tissus cervicaux, des nerfs et des hormones.

Des sucres, bons et mauvais

Vous remarquerez que les sucres naturels, dont il est surtout question à la section portant sur les fruits, satisfont à toutes les exigences des enfants à ce chapitre. C'est l'inclusion de la malbouffe et des boissons gazeuses qui créera un déséquilibre et qui fera naître chez votre enfant un état de manque qu'il ne connaîtra pas sinon.

Vous pouvez lui donner des fruits séchés (p. ex. des dattes, des raisins et des abricots) afin d'apaiser une envie de sucré ou encore des aliments énergisants. Toutefois, vous devriez éviter de lui en donner si votre enfant a tendance à l'hyperactivité; on a découvert que certains composés présents dans ces aliments produisent une surexcitation de certaines zones du cerveau chez les enfants réceptifs. (Reportez-vous à « Savoir reconnaître les indices de l'hyperactivité » aux pages 70 et 71 afin de creuser le sujet.)

Les édulcorants (p. ex. le miel, la mélasse et le sirop de riz ou de maïs) sont tous préférables au sucre cristallisé ou au sucre roux car le glucose que contiennent ces sucres très raffinés se décompose facilement à l'intérieur du système digestif, ce qui provoque des fluctuations marquées du taux de glucose sanguin chez l'enfant.

Les protéines, amies du cerveau, du corps et des os

Tous les aliments de source animale comptent pour des protéines primaires et sont considérés comme la plus importante source de protéines nécessaires à une croissance saine. Le poisson, le poulet, la dinde, les œufs, le lait, le beurre et le fromage (ainsi que la viande rouge en quantité limitée) s'inscrivent dans cette catégorie, au même titre que le lait maternel.

Même si on ne les considère pas comme des sources de protéines complètes, on en trouve quantité dans un large éventail de légumes et légumineuses, p. ex. les haricots de Lima, les haricots ordinaires, les pois chiches, les lentilles et les pois cassés. Ces sources de protéines coûtent peu et contiennent profusion d'acides aminés essentiels (reportez-vous à la page 16); vous pouvez les ajouter aux potages, aux ragoûts, aux purées et aux trempettes, en particulier si votre enfant fait la fine bouche.

Les noix et les graines sont également d'importantes sources de protéines, bien qu'il faille vous assurer que votre enfant n'y est pas allergique (reportez-vous à « Allergies et intolérances » aux pages 64 à 69). Les haricots de Lima font une collation goûteuse et satisfaisante que vous devriez ajouter à la boîte-repas.

Matières grasses essentielles – favoriser l'intelligence

Nul n'ignore que l'organisme a besoin d'énergie pour assurer les fonctions du cerveau, la digestion et le maintien de la chaleur animale, toutes fonctions qui ont encore plus d'importance chez les jeunes enfants que chez les adultes. Un enfant affamé a toujours froid et frissonne, peu importe la température ambiante; de même, une faiblesse de la faculté de concentration est souvent attribuable à une carence d'éléments nutritifs au niveau du cerveau.

Il est essentiel qu'un jeune enfant prenne ses repas à intervalles réguliers, de même qu'il importe que chaque repas lui apporte des matières grasses, lesquelles sont essentielles au fonctionnement du cerveau, à l'isolation de son corps et à la santé de son système hormonal. Aucun enfant ne devrait faire un régime qui le prive de matières grasses, à moins d'avoir consommé des aliments à teneur élevée en sucre pendant plusieurs années et de souffrir d'obésité (reportez-vous à « Surpoids ou poids insuffisant » aux pages 52 et 53).

On trouve les bonnes matières grasses dans le poisson, la viande maigre, les noix, les graines et les huiles que l'on en tire. Afin de vous assurer que votre enfant tire de son alimentation sa dose quotidienne d'acides gras essentiels, prenez l'habitude d'ajouter des graines de citrouille, de lin et de tournesol moulues à son porridge ou à ses céréales du petit déjeuner (reportez-vous à « Ses premières céréales et les musts du petit déjeuner » aux pages 134 à 136).

Glucides – le grain de la vie

Les glucides que l'on tire des grains se répartissent en variétés simples et complexes. Ils constituent l'élément le plus important de l'alimentation d'un enfant car ils forment la source d'énergie la meilleure et la plus abondante au quotidien. Par conséquent, on les retrouve à la base de la pyramide alimentaire et un régime nutritif devrait tabler davantage sur les glucides complexes que sur les simples car ils procurent davantage d'énergie de qualité.

Les grains complexes ont subi une transformation minimale avant l'emballage. Ils ont une excellente valeur nutritive, procurent de l'énergie au fil de la journée et atténuent la probabilité des sautes d'humeur qui sont souvent liées aux aliments à forte teneur en sucre. Parmi les grains complexes, on trouve notamment le muesli, les flocons d'avoine, les pains et les muffins complets, le pain de maïs, le riz brun, les pâtes de sarrasin, l'orge et le millet.

Les grains simples sont ceux dont on a retiré le plus de fibres et qui ont été décolorés, blanchis et raffinés en vue de boulanger les pains et les produits de boulangerie que l'on trouve à grande échelle. Le hic tient à ce que le meilleur des grains a été supprimé en cours de la transformation, ce qui les rend presque inutiles sur le plan nutritionnel. À ce rayon, on trouve la plupart des céréales et des biscuits du commerce, le pain blanc et la farine blanchie, les bagels, les pâtes, le riz blanc, les nouilles aux œufs et la plupart des pâtisseries. Les enfants sont souvent attirés par ces aliments car ils contiennent beaucoup de sucre et des colorants, et qu'ils sont souvent jumelés à des personnages d'émissions de télévision afin de gonfler leur vente. En plus de provoquer une accoutumance, ces glucides apportent à l'enfant des calories vides et le détournent des aliments sains qu'il doit consommer, comme les fruits et les légumes.

Une croissance saine

En connaissant les besoins de votre enfant selon les différentes étapes de sa croissance, vous serez mieux à même de comprendre les choix alimentaires qui s'imposent à lui. Ainsi que bien des parents le savent, un enfant passe plusieurs phases de préférence et de détestation au cours de ses premières années. Il s'agit là d'une source de frustration constante pour une mère dévouée.

Ses goûts changent

Lorsque les préférences alimentaires d'un enfant changent apparemment du jour au lendemain, il faut en général y voir l'indication qu'il entreprend une étape précise de sa croissance et de son développement et que ses besoins nutritionnels ne sont plus les mêmes. La meilleure chose à faire consiste à lui fournir dans la mesure du possible une grande variété d'aliments à toutes les étapes de sa croissance. Mais n'oubliez pas que les besoins nutritionnels des enfants sont souvent plus immédiats que ceux des adultes, près du tiers de leurs aliments étant consacré à leur croissance et leur développement au cours de leurs premières années.

Le souffle de vie

La structure complexe des poumons s'élabore au cours de la période fœtale et des trois premières années de l'enfant. Lorsqu'un enfant naît de façon prématurée, sa capacité pulmonaire peut ne pas suffire à l'approvisionner en oxygène et il n'est pas rare de voir un enfant prématuré sous respirateur artificiel au cours de ses premières semaines d'existence. La grossesse doit être menée à son terme pour que la capacité pulmonaire d'un nouveau-né soit optimale.

L'oxygène est acheminé dans le système respiratoire par les globules rouges, en partance des poumons et à destination du cerveau et des autres organes. Le fer est le principal minéral qui veille à la formation et à la santé des globules rouges; aussi, faut-il vous assurer que votre enfant en consomme régulièrement une ample quantité au cours de ses années de croissance. Lorsqu'un enfant semble quelque peu anémique, qu'il est léthargique ou qu'il manque d'énergie, il faut chercher du côté d'une carence de fer (reportez-vous à la page 57 pour connaître les meilleures sources de fer). La vitamine C assure le captage du fer au niveau des globules, de même que dans les délicates membranes cellulaires et en particulier dans les tissus pulmonaires. Puisque l'organisme ne peut emmagasiner de vitamine C, il importe de consommer chaque jour quantité de fruits afin d'assimiler cet élément nutritif essentiel. En plus des agrumes, le kiwi et la pastèque contiennent de la vitamine C en abondance, de même que tous les petits fruits, les tomates, les courges et les patates douces.

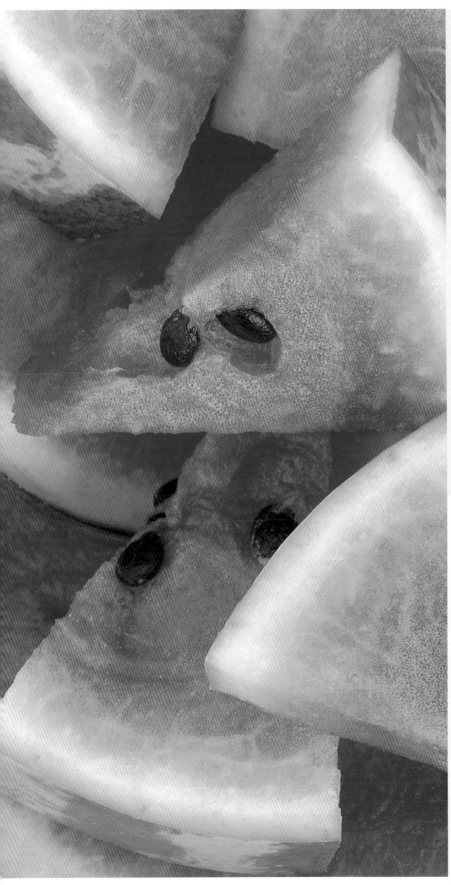

Formation des os

La formation des os commence dès le quatrième mois dans l'utérus, alors que celle de la colonne vertébrale et de la boîte crânienne (la zone du crâne qui renferme le cerveau) s'amorce dès le premier mois. À la naissance, la colonne vertébrale dessine deux courbes, tandis qu'à la puberté elles sont au nombre de quatre, afin de soutenir le poids de la tête et le reste de la structure du corps. (À la naissance, la proportion entre la tête et le reste du corps est de 1 : 4 alors qu'elle devient de 1 : 8 chez l'adulte.) Cela explique pourquoi la base de la colonne des jeunes enfants est souvent cambrée et que leur derrière fait saillie, laquelle a tendance à se redresser à l'approche de l'adolescence.

Le calcium est l'élément minéral le plus nécessaire à la formation des os. On en recommande une dose quotidienne de 400 mg pour assurer une croissance optimale et développer les tissus rachidiens et squelettiques. Cependant, le magnésium, le manganèse, le bore et la vitamine D sont également nécessaires à l'assimilation du calcium. Tous ces minéraux et cette vitamine se trouvent dans le lait maternel. Celles qui n'allaitent pas se tournent vers des préparations lactées qui en contiennent.

Palmarès des 40 aliments santé

Les fruits et légumes suivants assureront un bel équilibre entre les divers éléments nutritifs mais il faut savoir que cette liste n'est en rien exhaustive et que votre enfant doit consommer un large éventail d'aliments.

- sens
- système immunitaire
- digestion
- os
- système nerveux
- cœur
- hormones
- système urinaire

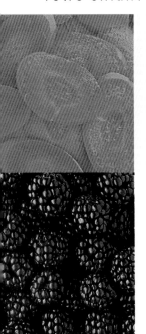

CAROTTES

Excellente source de bêta-carotène, qui est essentiel à la santé du derme et de l'épiderme, des poumons et du système respiratoire. Le bêta-carotène se transforme en vitamine A dans l'organisme, laquelle tient un rôle prépondérant dans la protection contre les virus et les infections. Les carottes sont également riches en potassium et en fibres, et veillent donc aux fonctions digestives et éliminatoires. L'un des premiers aliments à donner à manger à bébé, car elles sont naturellement sucrées.

BLEUETS

Ces petites baies bleues que l'on appelle également myrtilles sont une excellente source de vitamine C, laquelle est nécessaire à la vigueur du système immunitaire et à la formation de collagène, une protéine de premier plan présente dans la peau. De plus, les bleuets sont riches en bêta-carotène, nécessaire à une bonne vue.

On peut en faire de la purée à partir de baies fraîches ou en conserve car le procédé de conservation n'en supprime pas les éléments nutritifs.

ŒUFS

Voici l'une des principales sources de vitamine A qui veille au système immunitaire, à la santé de la peau et des yeux. Ils sont également une bonne source de vitamines B nécessaires à la production d'énergie et à la digestion. Les jaunes d'œufs contiennent du fer en abondance (nécessaire pour acheminer l'oxygène au cerveau) ainsi que du zinc (pour le système immunitaire) et de la vitamine D (essentielle à la formation d'une ossature solide). Pour peu qu'il n'y ait aucun symptôme d'intolérance, les œufs sont l'un des principaux aliments pour les jeunes enfants et peuvent figurer à leurs menus dès l'âge de neuf mois.

ABRICOTS

La belle couleur orangée de ces fruits témoigne de leur riche contenu en bêta-carotène, nécessaire à la santé du système immunitaire, des yeux et de la peau. Elles constituent l'une des meilleures sources de fer pour les enfants, nécessaire pour leur donner de l'énergie et faire fonctionner leur cerveau. Elles ont de plus des propriétés laxatives qui ne comportent aucun risque et leur goût naturellement sucré convient parfaitement aux premières purées et desserts. Les faire tremper dans l'eau pendant la nuit les rend dodues et accroît leur contenu enzymatique naturel. Si vous achetez des abricots séchés, ne prenez pas ceux qui ont été sulfurisés car ils risqueraient d'irriter les enfants enclins à l'asthme et aux allergies.

AVOCATS

Ce fruit est l'une des meilleures sources de vitamine E qui soit, laquelle participe à la fonction immunitaire, à la cicatrisation et assure la douceur de la peau. Les avocats sont également une bonne source d'acide folique nécessaire à la formation de globules rouges chez les enfants afin de prévenir l'anémie, de même qu'ils contiennent quantité de vitamines B qui procurent de l'énergie. Vous pouvez les réduire en purée seuls ou avec d'autres fruits et des légumes. Ils font un excellent plat de transition lorsque vous sevrez le nourrisson et lui servez ses premières purées.

MANGUES

La mangue est l'une des meilleures sources de bêta-carotène et de vitamine C, lesquelles servent à galvaniser le système immunitaire et à assurer la santé de la peau, des cheveux et des yeux. Elle est également une excellente source de calcium et de magnésium, tous deux nécessaires à la formation des os et des dents. Les mangues peuvent apaiser le système digestif car elles sont très alcalines; elles peuvent donc contrer l'acidité et les maux de ventre. Elles sont tout indiquées pour faire les purées et les desserts.

BANANES

L'un des aliments les plus énergisants qui soient pour les enfants, pas seulement en raison de leur goût sucré, mais parce qu'elles sont une excellente source de glucides et de vitamines B nécessaires à la production d'énergie. Les bananes font également une bonne source de potassium, qui veille à la santé du cœur, et apaisent la digestion en stimulant la prolifération de bactéries utiles au tractus digestif. Le riz et les bananes font un excellent remède contre les maux de ventre.

RIZ

Depuis longtemps qu'on le sert comme premier aliment après le sevrage, le riz occupe une place de choix dans le régime alimentaire. Le riz brun contient quantité de vitamines B qui procurent de l'énergie, ainsi que du zinc qui veille à l'équilibre du système immunitaire et à la croissance. Il contient également du calcium et du magnésium, lesquels sont nécessaires à la santé des os et des dents. Il s'agit d'un excellent aliment afin de soulager les maux de ventre et la diarrhée, et en Extrême-Orient son eau de cuisson sert à soulager les coliques chez les nouveau-nés. Le lait de riz est une bonne solution de rechange à ceux qui sont allergiques au lait de vache.

TOMATES

Elles sont indispensables à la cuisine familiale, non seulement en raison de leur polyvalence, mais également en vertu de leur riche contenu nutritif. À proprement parler, il s'agit d'un fruit, non d'un légume, qui contient un antioxydant – le lycopène – et beaucoup de vitamine C. Les tomates veillent donc à la santé du système immunitaire. Il faut toutefois savoir que consommées en grande quantité, elles peuvent entraver l'absorption du calcium. Étant donné que la plupart des ketchups du commerce contiennent énormément de sucre, vous devriez servir à votre enfant de la purée de tomates fraîches ou en conserve.

POMMES DE TERRE

Ce légume-racine rustique regorge de glucides porteurs d'énergie et de vitamines B, en plus d'être une bonne source de vitamine C qui veille à la protection du système immunitaire. Bon nombre d'enfants adorent les pommes de terre, peut-être en raison de leur teneur en vitamine B3 nécessaire à la sérotonine, ce neurotransmetteur médiateur des ondes du bonheur au niveau du cerveau. Servez-lui le moins possible des frites et des croustilles pour éviter la destruction des riches éléments nutritifs et préférez-leur des pommes de terre en purée ou bouillies.

POIVRONS

Les poivrons des trois couleurs (rouge, orange et jaune) contiennent quantité de vitamine C et de bêta-carotène qui fournissent au système immunitaire les éléments nutritifs essentiels. En fait, un poivron rouge contient davantage de vitamine C qu'une orange de même taille, ainsi qu'une forte concentration de sélénium qui ajoute à leur valeur immunitaire. Le poivron vert est également riche en vitamine C mais ne contient pas autant de bêta-carotène. Les poivrons sont également riches en acide folique, qui prévient l'anémie, et en fibres qui facilitent la digestion et l'élimination. Ils font une excellente purée pour les nouveau-nés et ajoutent un goût sucré et des fibres aux ragoûts que l'on sert aux enfants plus âgés.

KIWI

Ces fruits velus qu'adorent les enfants contiennent plus de vitamine C que les oranges de même taille mais provoquent parfois des réactions d'intolérance. Leurs petits pépins noirs regorgent d'acides gras essentiels oméga-6 qui contribuent à la prévention des affections cutanées telles que l'eczéma. Les enzymes digestives qu'ils contiennent en font le fruit indiqué pour qui souffre de maux d'estomac et leur saveur aigre-douce convient à merveille aux premières purées. Vous pouvez en ajouter au yaourt et en faire des sucettes glacées pour les enfants plus âgés.

ÉPINARDS

Réputés pour leur forte teneur en fer, les épinards contiennent également beaucoup de calcium et de magnésium, deux minéraux essentiels à la formation des os et des dents, de même que du potassium qui veille à la santé du cœur. On a découvert récemment qu'ils sont également riches en lutéine, un élément nutritif qui améliore et protège la vue. Il faut donc ajouter des épinards aux carottes afin d'améliorer la vision de nuit de votre enfant. Vous pouvez compenser leur amertume en ajoutant de la purée de pommes de terre qui leur apportera une consistance plus appétissante (reportez-vous à la page 131).

FRAMBOISES

Riches en vitamines C et B3, ces délicates baies font la joie des enfants et contiennent quantité de calcium qui viendra renforcer leurs os et leurs dents. Elles ont des propriétés antibiotiques naturelles et contribuent à soulager la diarrhée, à ralentir la formation de mucosités en présence d'un rhume ou d'une grippe. Les framboises ont également des propriétés antispasmodiques grâce auxquelles on peut soulager les crampes prémenstruelles à l'adolescence. Elles sont géniales dans la composition de purées pour les nouveau-nés et pour faire des sucettes glacées (reportez-vous à la page 147).

CERISES

Les enfants ne peuvent résister aux cerises qui, en raison de la vitamine C qu'elles contiennent, assurent la santé du système immunitaire. Elles ont également des propriétés antispasmodiques et s'avèrent utiles lorsque les enfants ont trop consommé d'un autre fruit et qu'ils ont des crampes. Elles sont également l'une des meilleures sources de fer, elles servent à prévenir l'anémie et à accroître l'acheminement des éléments nutritifs vers le cerveau. On peut les consommer fraîches ou en conserve mais assurez-vous qu'aucun sucre n'y a été ajouté car elles sont suffisamment sucrées pour se conserver à l'état naturel.

POIRES

Ce fruit que l'on trouve dans presque toutes les corbeilles familiales est une bonne source de vitamine C, qui renforce le système immunitaire, d'acide folique et de fer qui protègent de l'anémie. Les poires contiennent également de la pectine, qui améliore les fonctions éliminatoires et véhiculent les toxiques à l'extérieur de l'organisme. Elles font un excellent laxatif naturel et sont considérées comme l'un des meilleurs aliments pour faire la purée des nouveau-nés puisque très peu y sont intolérants. Elles sont l'un des rares fruits qui contiennent une forte proportion d'iode nécessaire à la thyroïde pour améliorer le métabolisme et la production d'énergie.

ORANGES

Reconnues depuis longtemps pour leur teneur élevée en vitamine C, les oranges ont également de puissantes propriétés antivirales et antibiotiques qui en font l'un des fruits les plus populaires. Lorsqu'on les consomme entières, leurs fibres contribuent à régulariser l'élimination. Toutefois, on ne profite des propriétés des oranges qu'à condition de les consommer fraîches.

Le jus d'orange frais que l'on commercialise en carton contient souvent quantité de fructose et peut créer une accoutumance chez certains enfants. Il est préférable d'offrir un large assortiment d'agrumes proches de l'orange, entre autres les satsoumas, les clémentines et les oranges mêmes en saison plutôt que toute l'année pour vous assurer que votre enfant ne développe pas d'intolérance.

PASTÈQUE

Tenu par certains diététistes comme la meilleure source de vitamine C qui soit, ce fruit originaire des Caraïbes est également riche en bêtacarotène, ce qui en fait l'un des meilleurs stimulants du système immunitaire que l'on puisse trouver à la cuisine. La pastèque est également une riche source de potassium, qui joue un rôle dans la santé du cœur et du système nerveux. À ce titre, elle est tout indiquée pour faire des jus, des sucettes glacées et des punches pendant la belle saison. Cependant, étant donné que la pastèque se digère rapidement, il faut la consommer sans aucun autre aliment pour éviter que ses sucres naturels ne provoquent leur fermentation à l'intérieur de l'estomac.

COURGE

Ainsi qu'il en est de tous les légumes orange, les courges sont une excellente source de bêta-carotène et de vitamine C qui sont essentiels au système immunitaire. Elles sont également une bonne source de fer, qui veille au niveau d'énergie et qui véhicule les éléments nutritifs vers le cerveau. Comme on trouve dans les courges du calcium et du magnésium (nécessaires à la santé des os et des dents), on devrait toujours en avoir dans son garde-manger. Leur purée riche en éléments nutritifs satisfait les nouveau-nés alors que les enfants plus âgés en raffolent sous forme de croustilles ou cuites au four, où elles fondent à la manière du caramel au beurre.

PATATES DOUCES

En plus des aliments nutritifs présents dans les courges, les patates douces contiennent ceux de la pomme de terre, c.-à-d. de la vitamine D pour la santé des os et de la vitamine E pour celle du système immunitaire et de la peau. Elles sont plus particulièrement une bonne source de vitamine B3 (ou niacine), qui contribue à l'équilibre de l'humeur, et font une excellente solution de rechange aux pommes de terre pour les adolescents qui surveillent leur poids mais qui ont besoin d'aliments énergisants. Elles font une bonne première purée pour les nouveau-nés car elles sont naturellement sucrées et elles contiennent beaucoup d'eau.

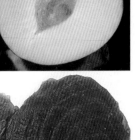

PRUNES ET PRUNEAUX

Voici une riche source de fer pour les enfants qui existe en plusieurs couleurs, les plus foncées contenant davantage de vitamine C et de bêta-carotène qui renforcent le système immunitaire. Ces fruits sont également une bonne source de fibres si on les consomme avec leur pelure. En trop grande quantité, elles peuvent provoquer la diarrhée car elles sont quelque peu laxatives. Les pruneaux séchés comptent en général davantage de fer, ce qui en fait le fruit indiqué pour les enfants qui se rétablissent d'une maladie ou d'une faiblesse quelconque. Étant donné leur goût sucré, ils sont indiqués pour faire les premières purées, mais il faut en donner peu à peu à l'enfant pour que son organisme s'y habitue.

THON

Ce poisson gras est une bonne source de vitamine C et de calcium. Il contient également quantité d'acides essentiels oméga-3 qui veillent à l'équilibre hormonal, aux fonctions cérébrales et à la prévention de troubles inflammatoires tels que l'eczéma, l'asthme et la fièvre des foins. Bonne source de vitamine E et de sélénium, afin de protéger ces matières grasses essentielles, il fournit également au système immunitaire les nutriments dont il a besoin. De plus, le thon est riche en vitamines B12 et B3, lesquelles sont nécessaires à la santé du cœur et des artères, et à l'équilibre des facultés intellectuelles et à la vivacité d'esprit. Le thon en conserve fait l'affaire car ce dernier provient à présent du poisson frais. Choisissez du thon conservé dans de l'huile pour assurer une protection maximale.

CHOU-FLEUR

Ce légume de la famille des Brassica offre, dans une moindre mesure en raison de sa pâleur, les mêmes éléments nutritifs que le brocoli.Il est également riche en acide folique nécessaire à la formation des globules rouges en vue de fortifier le système cardiovasculaire et d'acheminer l'oxygène et les éléments nutritifs vers le cerveau. Source de fibres, il soulage la constipation, mais sa forte teneur en phosphore peut provoquer un surcroît de flatulences si on le consomme en trop grande quantité. Introduisez-le sous forme de purée dans l'alimentation de l'enfant vers son cinquième mois et passez-le dans les ragoûts, les caris et les macédoines de légumes des enfants plus âgés.

FROMAGES

Au titre de protéines primaires, tous les fromages fournissent quantité de calcium et de vitamine D pour le développement des os et des dents. Cela vaut particulièrement pour les enfants végétariens qui ne consomment ni viande ni poisson, et les fromages sont également source de zinc, lequel est essentiel à la croissance, à la vigueur du système immunitaire et à la digestion. Seuls les fromages pasteurisés sont indiqués pour les jeunes enfants et, en règle générale, on ne devrait pas leur en donner avant l'âge de six mois afin de réduire la possibilité d'une intolérance. On conseille d'offrir à l'enfant une sélection de fromages de lait de vache, de chèvre et de brebis.

POULET

L'une des premières viandes blanches et des premières protéines animales que l'on introduit dans l'alimentation d'un enfant, le poulet est une source de protéines primaires qui contient chacun des huit acides aminés essentiels. Riche source de vitamine A, B3 et B6 qui veillent à l'équilibre intellectuel, à la fonction cognitive et à l'apprentissage, le poulet est un important carburant du développement du corps et du cerveau. Il s'agit aussi d'une bonne source de zinc, qui fortifie le système immunitaire; c'est pourquoi on en fait souvent de la soupe. Il faut toutefois se procurer du poulet de qualité car nombre de poulets d'élevage sont injectés d'hormones de croissance et d'antibiotiques. Pour cette raison, il faut acheter du poulet fermier (élevé au grain) chaque fois qu'on le peut.

POMMES

Les préférées du panier familial, elles offrent d'excellentes quantités de vitamine C et de bêta-carotène qui veillent aux fonctions immunitaires, en plus d'un composé appelé pectine qui stimule une bactérie bénéfique au système digestif et élimine les toxines de l'organisme. Lorsqu'on les consomme avec leur pelure, les pommes sont une excellente source de fibres solubles qui facilitent l'élimination et préviennent la constipation chez les enfants. Il faut prendre garde de remplacer le fruit complet par du jus car, en retirant les fibres, le jus devient excessivement sucré et acide, et peut provoquer des crampes à l'estomac chez certains enfants.

SAUMON

Ce poisson gras est une excellente source de calcium et de vitamine D, tous deux nécessaires à la santé des os et des dents. Les acides gras oméga-3, dont la présence est inhérente aux huiles de poissons, sont essentiels au développement et à l'équilibre hormonaux, aux fonctions cérébrales et au système nerveux. La vitamine E présente dans le saumon protège ces matières grasses essentielles et, couplée au sélénium, veille à la fonction immunitaire et à la santé de la peau. Les enfants aux prises avec des affections cutanées telles que l'eczéma et le psoriasis ou d'autres affections inflammatoires souffrent souvent d'une carence d'acides gras oméga-3. Il faut donc prévoir des doses régulières d'huile de poisson à leur alimentation.

LAIT

Tous les types de lait contiennent de grandes quantités de calcium et de vitamine D, tous deux nécessaires au développement d'os et de dents en santé, en plus de tenir un rôle dans la santé du cœur et dans la croissance. Cependant, un nombre croissant d'enfants développent à divers degrés une intolérance au lait de vache; en ce cas, donnez-leur du lait de chèvre ou de brebis que l'on trouve à présent dans les supermarchés. Il appert parfois que des enfants naissent incapables de produire une enzyme appelée lactase grâce à laquelle il est possible de digérer la teneur en sucre du lait. Il faut donc éviter de leur donner cette boisson. Il existe toutefois quantité d'autres aliments tels que les œufs, les poissons gras et les légumes à feuilles vert foncé qui peuvent remplacer les éléments essentiels présents dans le lait.

BROCOLI

L'une des principales sources de calcium (une portion de brocoli cru en contient davantage qu'un litre de lait) et de magnésium, le brocoli est également une source de vitamine K qui favorise la croissance des os chez les enfants, en particulier chez ceux qui sont intolérants aux produits laitiers. Il s'agit également d'une excellente source de vitamines B et de vitamine C, ce qui en fait un super-aliment. Il est doté de propriétés antibiotiques et antivirales naturelles, et fournit quantité de fibres qui facilitent l'élimination. Ce légume vert peut être présenté aux nouveau-nés sous forme de purée; on peut en servir régulièrement aux enfants plus âgés, cuit à la vapeur ou au four.

PÊCHES

Ces fruits de couleur orangée sont riches en bêta-carotène et en vitamine C, tous deux essentiels à la santé du système immunitaire, qui servent également à éviter les virus et les infections. Elles sont de plus une bonne source d'acide folique nécessaire à la production de globules rouges, lesquels acheminent les éléments nutritifs vers le cerveau et les muscles, et jouent un rôle dans la fonction nerveuse. Si on les consomme avec leur pelure, elles fournissent une bonne quantité de fibres solubles qui favorisent l'élimination régulière et sont un doux laxatif. On peut les préparer de diverses manières selon l'âge de l'enfant. Puisqu'il s'agit de fruits très alcalins que l'organisme absorbe sans difficulté, ils sont particulièrement indiqués lorsqu'ils sont mûrs pour les enfants dont la digestion est chatouilleuse.

PANAIS

Ce légume-racine riche en éléments nutritifs a la cote auprès des jeunes enfants en raison de son goût sucré. Il a une forte teneur en potassium, dont a besoin le système nerveux, et est utile à la santé des reins et de la vésicule biliaire car il est légèrement diurétique. De plus, le panais est une bonne source végétale de fer nécessaire au maintien du degré d'énergie et à la prévention de l'anémie. Il apporte également quantité de fibres au tractus digestif et favorise l'élimination régulière. Le panais est excellent en purée pour les nouveau-nés et les jeunes enfants, et grillé pour les enfants plus âgés.

RUTABAGA

Ce légume-racine appartient lui aussi à la famille des Brassica (qui regroupe le brocoli, le chou et les choux de Bruxelles), lesquels contiennent tous de puissants antioxydants qui protègent de la maladie et des infections, dont certains composés qui rechargent le système immunitaire pour qu'il combatte les cellules cancéreuses. Le rutabaga (ou navet du Québec) est une importante source d'acide folique et de potassium nécessaires à la santé du cœur, des artères et du système nerveux. Étant donné que plusieurs enfants n'apprécient pas le goût de ce légume, on conseille de l'adjoindre aux purées et de le marier à des fruits ou légumes plus sucrés, notamment des pommes ou des carottes.

POIS

Voici l'un des légumes verts qui font probablement le plus envie aux enfants ! Ces petites billes contiennent des tas de bonnes choses, dont une étonnante quantité (chez un légume) de protéines qui sont essentielles à la croissance de tous les tissus et organes. Les pois contiennent aussi beaucoup de vitamines A et C (nécessaires à la fonction immunitaire) et de zinc (pour la croissance et la cicatrisation rapide), ainsi que du magnésium et du calcium (pour la santé du cœur). On les considère comme l'aliment idéal, d'autant que les enfants ne peuvent trop en consommer. Les pois surgelés font une bonne solution de rechange, pour peu qu'on les consomme avant leur date de péremption. Les pois font une excellente première purée, au même titre que les carottes et le rutabaga (reportez-vous à la page 131).

PAPAYE

Ce fruit d'une riche nuance orangée est l'une des meilleures sources de bêta-carotène, lequel est nécessaire au système immunitaire et à la protection de la vue. Mais la papaye est exceptionnelle car elle procure une enzyme digestive naturelle appelée papaïne, qui contribue à la décomposition des protéines, à la réduction de la production de mucus et au dégagement des voies respiratoires enchifrenées. Elle mène également une action contre les parasites, en particulier si l'on broie ses pépins noirs pour les adjoindre à la purée, auquel cas elle protège les enfants des nématodes. L'un des fruits préférés des enfants, la papaye fait d'excellents desserts, boissons et purées (reportez-vous à la page 130).

LENTILLES

Les lentilles sont l'une des meilleures sources de protéines végétales. En effet, elles contiennent presque autant de protéines que la viande. Elles ont également une forte teneur en fer, en plus du calcium, du potassium et du magnésium (essentiels à l'approvisionnement sanguin et à la santé du cœur), sans oublier le zinc (nécessaire à la croissance et à la fonction immunitaire). Les lentilles sont également riches en vitamines B nécessaires à la production d'énergie et aux facultés intellectuelles. Il faut prendre garde lorsqu'on introduit cette légumineuse aux menus d'un nouveau-né car elles sont peu digestes; en fait, il vaudrait mieux n'en pas donner aux enfants de moins d'un an. Elles sont une excellente source de protéines pour faire des hambourgeois végétariens, des ragoûts et des sauces bolognaises sans viande.

MAÏS SUCRÉ

On le consomme pour son apport important en glucides mais le maïs en épi est une excellente source de vitamines B, lesquelles sont nécessaires à la production d'énergie. L'enveloppe des grains apporte une abondante quantité de fibres insolubles (qui favorisent la digestion et l'élimination), de potassium (pour la santé du cœur et du système nerveux) et de phosphore (nécessaire au cerveau et au système nerveux). Le maïs sucré est riche en magnésium, lequel est nécessaire à la relaxation musculaire. Il est également l'une des meilleures sources végétales de fer, nécessaire à la prévention de l'anémie. Rincez soigneusement le maïs en conserve pour en éliminer le surplus de sel et de sucre. La polenta, préparée à partir de farine de maïs, fait un excellent substitut à la purée de pommes de terre.

AVOINE

Voici l'une des meilleures céréales pour la croissance des os car elle contient quantité de calcium, de magnésium et de manganèse. L'avoine fournit une excellente source de fibres insolubles qui favorisent la digestion et l'élimination, et qui chassent les toxines de l'organisme. L'avoine est également l'une des meilleures sources de silicone, nécessaire à la croissance des cheveux, des ongles et des tissus cutanés, et dont manquent souvent les enfants souffrant d'eczéma et autres affections cutanées. Elle est aussi une riche source de vitamines B qui procurent de l'énergie et du fer, qui veillent à la santé du sang et du cœur. Il s'agit de l'un des aliments les plus importants et les plus polyvalents que l'on puisse servir à un enfant. On peut la consommer sous forme de céréales, de barres énergisantes (reportez-vous à la page 145).

RAISINS SECS

Les raisins noirs et les raisins de Smyrne sont simplement des raisins séchés, dont les éléments nutritifs sont condensés. Ils sont une source particulièrement riche de fer et de potassium, tous deux nécessaires à la santé du cœur et à la protection contre l'anémie. De plus, leur peau contient beaucoup de magnésium et ils sont un laxatif naturel pour les enfants souffrant de constipation. Leur teneur en potassium en fait un fruit excellent pour les reins et la vessie, sans compter qu'ils protègent de toutes les infections car ils sont riches en vitamine C. Méfiez-vous toutefois du jus de raisin en carton car il est inutilement sucré. Vous pourriez ajouter de petites quantités de pulpe de raisins aux purées et aux premiers aliments, mais assurez-vous de retirer tous les pépins.

FRAISES

Les enfants ne peuvent résister à cette petite baie parfaite car elle est sucrée, molle et digeste. Les fraises sont une excellente source de bêta-carotène et de vitamine C (pour la fonction immunitaire), ainsi que d'acide folique et de potassium (pour la santé du cœur, du système cardiovasculaire et du système nerveux). Les fraises sont l'un des rares fruits qui contiennent de la vitamine K qui est essentielle à l'absorption du calcium et à la résistance des os. Elles sont donc l'une des baies les plus importantes sur le plan nutritionnel. Elles peuvent cependant provoquer une irritation chez les enfants qui souffrent d'eczéma et d'autres inflammations cutanées. Il faut prendre garde lorsqu'on les introduit dans l'alimentation d'un petit car les graines qui émaillent la surface de cette baie peuvent perturber un système digestif sous-développé.

AGNEAU

De toutes les viandes rouges, l'agneau est souvent la préférée des enfants et, en tant que source de protéines primaires, il est riche en vitamines et en minéraux. L'agneau regorge particulièrement de fer, de calcium et de zinc, qui sont tous nécessaires à la santé du cœur et au développement d'une forte charpente osseuse. On trouve les vitamines B dans toutes les viandes rouges mais l'agneau contient de la vitamine B6 en importante quantité, laquelle est essentielle à la fonction cognitive et à la santé du cerveau. L'agneau est souvent la première viande rouge que l'on introduit au menu d'un enfant. On conseille en général l'agneau d'élevage biologique afin d'éviter les antibiotiques et les hormones souvent présents chez les animaux d'élevage rapide.

Les choix alimentaires ou les méchants et les gentils

Afin de bien saisir les principes qui sous-tendent l'alimentation, il faut savoir qu'il existe des « anti-éléments nutritifs », c.-à-d. des aliments qui privent l'organisme des éléments nutritifs dont il a besoin. Il s'agit principalement de mots qui commencent par un S ou par un C, à savoir les sucres et sucreries, le sel, la caféine (comme dans café et cola), les colorants artificiels et le chocolat. On les retrouve sous une forme ou une autre dans presque tous les genres de gâterie ou de prêt-à-manger et ils privent l'organisme du large éventail d'éléments nutritifs présents dans les aliments à l'état naturel.

Un garde-manger bien pourvu vous sera d'une grande utilité, non seulement les jours de pluie, mais également lorsque d'autres activités vous empêcheront de gagner le supermarché avant qu'une fringale ne s'empare de vos petits, par exemple lorsqu'une poussée de croissance se manifestera au milieu de la nuit. Il n'est pas toujours nécessaire ou possible de tout préparer soi-même pour autant que l'on sache ce dont les enfants ont besoin et qu'on le leur fournisse.

Des produits bio ou de culture industrielle?

Le marché des produits bio pour enfants a connu une croissance exponentielle au cours des cinq dernières années. Les auteurs de la plus récente recherche Mintel évaluent que les aliments bio constituent environ 40 pour cent de ce marché en comparaison à 23 pour cent il y a un an.

Aliments bio

Pour	Contre
Exempts de produits chimiques	Plus chers
Plus goûteux	Moins attrayants (frais)
Plus nutritifs	Moins de variété

Les aliments bio se caractérisent par l'absence d'engrais chimiques et de pesticides lors de la culture de leurs différents composants. On recense en ce moment près de 3 000 substances chimiques dans notre chaîne alimentaire. En ce qui touche les fruits et les légumes, on dénote souvent une différence marquée du goût des produits bio mais le hic tient à ce que les produits frais se conservent moins longtemps, qu'ils sont souvent meurtris, que leur forme est irrégulière et qu'ils peuvent être moins attrayants que leurs concurrents issus de la grande industrie.

Les bienfaits de ces aliments sur les petits sont toutefois inestimables car, après le sevrage, les systèmes digestif et immunitaire des nouveau-nés sont très vulnérables et une abondance de substances chimiques risque de les surcharger. On risque alors davantage de provoquer des intolérances et des réactions indésirables chez les enfants sensibles que si on leur présente comme premiers aliments des produits sains qui n'ont pas été manipulés.

Au cours de la première année, le système nerveux d'un enfant croît à un rythme rapide et poursuit son développement jusqu'à l'âge de 18 ans environ. Les produits de culture industrielle sont porteurs de toxines qui peuvent porter atteinte au système nerveux. La digestion d'un enfant d'un an est en fait plus efficace et pénétrable que celle d'un adulte, ce qui le rend plus vulnérable à l'absorption de toxines nuisibles. À poids équivalent, les nourrissons consomment un pourcentage beaucoup plus élevé de fruits, de légumes et de produits laitiers, lesquels sont tous lourdement contaminés de pesticides et d'engrais chimiques, s'ils ne sont pas produits de façon biologique. Pour ajouter à la charge, précisons que les produits d'origine animale issus de la grande industrie regorgent d'hormones et d'antibiotiques qui gênent le fonctionnement des organes chargés de la détoxication et de l'élimination, c.-à-d. le foie et les reins de l'enfant. On évalue que 50 pour cent des antibiotiques auxquels un enfant est exposé proviennent des aliments qu'il consomme plutôt que des antibiotiques qui lui ont été prescrits.

Si le coût des aliments bio vous semble prohibitif, faites en sorte de réduire la quantité de produits d'origine animale et complétez l'alimentation avec des protéines d'origine végétale telles que des légumineuses, des grains, des haricots et des graines germées qui sont tous aussi délicieux dans les ragoûts, les purées et les hambourgeois (reportez-vous à la page 138 pour la recette du hambourgeois aux haricots).

Alerte au foie !

Le foie d'un animal est un concentré de protéines. Il est riche en vitamine A, en vitamines B, en fer, en chrome, en cuivre, en sélénium et en zinc, lesquels contribuent tous à la croissance et au système immunitaire. Dans cet organe de désintoxication

se retrouvent cependant tous les pesticides et toxines présents dans les aliments issus de la grande industrie qu'aurait consommés votre enfant. Par conséquent, si vous ne deviez acheter qu'un seul produit animal biologique pour votre enfant, que ce soit le foie ; vous le protégerez alors contre la plus abondante source de toxines et lui donnerez un aliment riche en éléments nutritifs. Vous devez toutefois savoir que, en raison de sa teneur élevée en vitamine A, votre enfant ne doit pas en consommer plus d'une fois tous les 10 à 14 jours et ce, à compter de l'âge de neuf mois.

Quand la tendance bio dérape !

Bon nombre de fabricants sont entrés dans la mouvance bio et emploient ce mot pour commercialiser des produits qui nuisent à la santé. Bio ou pas, le chocolat et les biscuits au chocolat n'ont rien de sain (reportez-vous à « Sucre et épices » aux pages 38 à 41), pas plus que les croustilles faites à partir de pommes de terre de culture biologique lorsqu'elles sont frites dans des gras hydrogénés et qu'on les sale copieusement pour leur donner de la saveur. Ne vous laissez pas séduire par les boniments des commerçants. Bon nombre de marques spéciales visent à tromper la consommatrice naïve qui croit qu'un produit est plus sain parce qu'on le dit bio alors qu'en fait il regorge de sucres et d'autres additifs. Reportez-vous à « Savoir décoder les étiquettes » aux pages 42 à 45 pour être mieux renseigné.

Conseil
Une pomme chaque jour fournira à bébé suffisamment de vitamine C, en plus de la pectine qui se lie aux produits chimiques et aux pesticides afin de les éliminer de l'organisme. Les poires ont le même avantage.

Sucre et épices

et autres vilains présents dans le garde-manger

On trouve du sucre à l'état naturel dans tous les aliments mais il est également un composant indissociable du régime occidental puisqu'on l'emploie afin de rehausser la saveur et de conserver pratiquement tous les produits alimentaires présents sur les rayons des supermarchés.

Hélas ! en quantité excessive, les sucres ajoutés peuvent avoir de fâcheuses répercussions sur la santé d'un enfant car ils ont une incidence directe sur le système immunitaire. En effet, ils restreignent la protection nécessaire à un enfant contre les nombreuses infections et bactéries néfastes. De plus, les sucres rompent l'équilibre délicat entre les bactéries utiles présentes dans le tractus digestif, dont le rôle consiste à digérer et absorber les aliments qu'ingère l'enfant.

Dès l'instant où un enfant goûte au sucre sous une forme quelconque, il y prend goût; il est donc essentiel de distinguer les aliments qui lui seront utiles de ceux qui lui seront nuisibles.

Le rôle du sucre dans l'organisme ou l'indice glycémique

Il faut savoir que tous les aliments sont décomposés en glucose qui est acheminé dans le sang vers les muscles, le cerveau et les autres organes, où il sera transformé en énergie nécessaire aux fonctions propres à chacun; ainsi, il permettra au cerveau de réfléchir et de dicter son fonctionnement au reste de l'organisme, aux poumons de respirer et aux muscles de se mouvoir.

Les glucides sont la source de carburant que préfère l'organisme car ils se décomposent en glucose, mais les protéines et les matières grasses peuvent remplir cette fonction. Ainsi, on admet qu'un filet de poisson est une source de protéines, mais il contient également des matières grasses (dites essentielles). Au cours de la digestion, les protéines sont séparées des matières grasses et chacune est décomposée en différentes enzymes selon des rythmes d'absorption variables. Toutes deux seront transformées en glucose si les aliments ne contiennent pas de glucide. Un fruit, une banane par exemple, est essentiellement un glucide mais contient également une petite quantité de protéines. Tous deux seront décomposés séparément mais les glucides seront absorbés plus vite que les protéines qui sont plus longues à digérer. Par conséquent, chaque aliment est évalué selon son rythme de décomposition et de transformation en glucose. Voilà ce à quoi renvoie l'indice glycémique des aliments.

Comment régler l'indice glycémique de votre enfant

Afin d'instaurer un équilibre entre les aliments dont l'indice est faible et ceux dont il est élevé, associez au cours d'un même repas plusieurs de ceux qui figurent au tableau, de manière à ce que leur moyenne soit de 50 ou moins. N'oubliez pas que les aliments énumérés au tableau sont surtout des glucides et que les aliments protéinés ont un indice glycémique peu élevé. Plusieurs ouvrages sont consacrés à ce sujet.

Porridge d'avoine avec lait entier et poires = 49 + 34 + 34 divisé par 3 = 39

Spaghetti en sauce aux tomates et aux patates douces = 41 + 38 + 51 divisé par 3 = 43

Haricots cuits au four sur pain brun grillé avec un verre de lait = 48 + 69 + 34 divisé par 3 = 50

Maïs éclaté (non sucré) avec yaourt nature et cerises = 38 + 36 + 23 divisé par 3 = 32

Pomme de terre cuite au four avec lentilles, tomates et pois = 85 + 29 + 38 + 51 divisé par 3 = 67

Indice glycémique des aliments et boissons

Les aliments dont l'indice glycémique est peu élevé libèrent leurs sucres peu à peu. Ce sont des aliments qui fournissent de l'énergie de longue durée et qui sont plus utiles que ceux dont l'indice est élevé. Vous pourriez associer des aliments dont l'indice est élevé à d'autres dont il ne l'est pas pour assurer à votre enfant un dégagement d'énergie soutenu.

Fruits

Pastèques	72
Raisins secs	64
Bananes	62
Raisins	45
Oranges	40
Pommes	39
Poires	34
Pamplemousses	26
Prunes	25
Cerises	23

Légumes

Panais (cuits)	97
Carottes (cuites)	92
Pommes de terre :	
au four	85
nouvelles	70
Frites	75
Betteraves	64
Maïs	59
Pois	51
Patates douces	51
Tomates	38

Céréales

Rice krispies	82
Cornflakes	80
Riz gonflé	73
Shredded Wheat	67
Muesli	66
Flocons de maïs	54
Porridge d'avoine	49
Son de riz	19

Grains

Pain blanc	95
Gâteaux de riz	82
Riz blanc	72
Baguette	70
Pain complet	69
Crumpets	69
Riz brun	60
Pâtisseries	59
Pain pita	57
Gâteaux à l'avoine	54
Pâtes de blé entier	41
Pumpernickel	40
Orge	26

Légumineuses

Haricots cuits au four	48
Pois chiches	36
Haricots de Lima	36
Haricots ronds blancs	31
Haricots rognons	29
Lentilles	29
Soja	15

Produits laitiers

Crème glacée	50
Yaourt nature	36
Lait complet	34
Lait écrémé	32

Grignotines et boissons

Boissons énergisantes	95
Bonbons haricots	80
Croustilles de maïs	72
Orangeade gazéifiée	68
Tablette de chocolat au lait	68
Courge diluée	66
Jus d'orange	46
Jus de pomme	40
Maïs éclaté	38
Chocolat noir	22

À la section portant sur les composants essentiels (reportez-vous aux pages 16 à 19), nous avons vu la différence qu'il existe entre les glucides simples et complexes. Un aliment tel que les pâtes — un glucide raffiné ayant subi moult transformations — est décomposé au cours de la digestion et transformé en glucose très rapidement, ce qui provoque un regain soudain d'énergie. L'indice glycémique d'un tel aliment est très élevé, c.-à-d. qu'il augmente rapidement le taux de glucose sanguin et procure soudain à l'enfant une forte dose d'énergie qui sera suivie d'une féroce envie de sucre car, sur le plan inconscient, il voudra prolonger cette montée d'énergie. On se tourne alors souvent vers les aliments sucrés, soit les croustilles, les biscuits et les desserts du commerce auxquels on a ajouté de grandes quantités de sucre. Ce genre d'habitude entraîne vite un cercle vicieux car il faut consommer de plus en plus d'aliments transformés afin de maintenir un même niveau d'énergie.

Il y a malheureusement un prix à payer pour ce genre d'habitude car l'organisme ne peut subvenir à ses besoins lorsqu'une grande quantité de glucose est présente dans le sang et il affronte la situation en enclenchant une réaction particulière. Il déverse de l'insuline dans le sang, laquelle sert à prendre le glucose qui se trouve dans le sang pour l'acheminer vers les cellules de tous les organes, et l'enfant ressent alors une fatigue soudaine, est apathique ou encore irascible.

Songez à une fête pour enfants. Les rires fusent jusqu'à l'arrivée des gâteries, des biscuits au chocolat et des gâteaux. En l'espace de quelques minutes, les voix montent d'une octave ou deux et les espiègleries se transforment en coups et attaques; au bout d'une demi-heure, on se retrouve avec une flopée d'enfants irascibles, fatigués ou brise-fer qu'il faut vite ramener à la maison avant que l'un d'eux ne soit blessé. Voilà un exemple probant des incidences d'un taux élevé de glucose sanguin, car les enfants sont sensibles aux glucides et aux édulcorants.

Gâteaux et biscuits ne sont pas les seuls à contenir du sucre; tous les fruits et les légumes contiennent des sucres naturels.

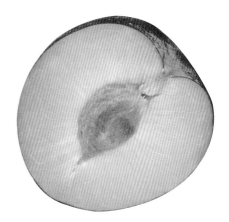

Vous avez donc intérêt à connaître l'indice glycémique des principaux aliments afin d'être en mesure de marier ceux dont l'indice est élevé à d'autres dont il est faible pour que l'énergie de votre enfant soit dégagée de façon régulière. Chez tous les enfants en santé, le niveau d'énergie atteint des crêtes et des creux au cours d'une journée mais vous pouvez contrôler par l'alimentation les fluctuations d'humeur marquées et l'épuisement physique.

Sucres dissimulés

Bon nombre d'aliments soi-disant sans contiennent du sucre sous différentes formes comme agent de sapidité ou de conservation. En apprenant à les reconnaître, vous serez en mesure de minimiser leur utilisation en cuisine.

Aliments	Quantité	Sucres
Yaourt aux fruits	1 petit contenant	4 c. à thé
Confiture	2 cuillerées à thé	2,5 c. à thé
Crème glacée	1 boule	2 c. à thé
Maïs en conserve	½ boîte	2 c. à thé
Fèves cuites au four	1 petite boîte	1,5 c. à thé
Soupe tomate en conserve	½ boîte	1 c. à thé
Ketchup aux tomates	1 cuillerée à soupe	1 c. à thé
Chocolat au lait	1 petite tablette	6,5 c. à thé
Biscuits digestifs	2 biscuits	1 c. à thé
Smarties	1 boîte	7,5 c. à thé

Reportez-vous au tableau de la page 39 pour connaître l'indice glycémique des principaux aliments.

Quand un sucre est-il naturel et quand ne l'est-il pas?

Tous les fruits et les légumes contiennent des sucres naturels, de même que les grains. Les sucres présents dans un aliment participent à sa croissance et vous aurez remarqué, par exemple, que les jeunes carottes ont un goût plus sucré que celles qui sont à leur terme. Les sucres présents à l'état naturel dans un aliment se transforment en énergie au cours de son absorption et de sa digestion. Mais il s'agit de sucres naturels, non pas de sucres ajoutés. La teneur en vitamines et en minéraux des aliments naturels tient une place essentielle dans l'alimentation d'un enfant et il importe grandement, après le sevrage, de compenser ces aliments naturellement sucrés par une dose suffisante de protéines, dont la teneur en sucre est en général inférieure et qui ralentissent la digestion.

Lorsque du sucre a été ajouté à la préparation d'un aliment, il n'est pas lié à ce dernier et on le digère donc d'une autre façon. Les sucres ajoutés sont digérés beaucoup plus rapidement et ils rompent l'équilibre naturel du taux de glucose sanguin. Les grains féculeux tels que le blé et le maïs contiennent déjà quantité de sucre naturel; aussi, les céréales du commerce qui ont été raffinées (auxquelles s'ajoutent les sucres ayant servi d'exhausteurs de goût et les fruits séchés qu'on leur ajoute souvent) apportent une quantité excessive de sucre en un repas. Un bol de porridge d'avoine garni de pomme râpée et de tranches de banane fait un petit déjeuner beaucoup mieux équilibré et, de surcroît, délicieux.

Bon nombre de grignotines et d'aliments du commerce destinés aux enfants reçoivent des doses massives de sucre pour les rendre plus alléchants. Ils sont souvent glacés, givrés de sucre ou enrobés de chocolat. Souvent les céréales du petit déjeuner sont enrobées de miel alors que les sauces et les ketchups débordent de sucre, pour ne pas parler des plats de pâtes prêts-à-manger, en particulier lorsqu'ils baignent dans une sauce tomate. On conçoit qu'il s'agisse là d'une technique en vue de prolonger la durée de conservation à l'étalage de ces produits, mais ils n'ont rien d'utile à la santé des enfants.

Lire les étiquettes

Les fabricants ont élaboré pour l'étiquetage des produits un jargon souvent inintelligible, qui prête à confusion lorsqu'il n'induit pas en erreur. Il importe de bien saisir la signification de ce que vous lisez pour ne pas être dupé et pour soupeser la valeur des aliments qui sortent d'une conserve ou d'un sachet.

Portion

Tous les ingrédients sont énumérés en fonction d'une portion, soit 100 (4 oz). Par conséquent, il faut mesurer la portion que vous servez (p. ex. un pot de yaourt de 150 g [6 oz]) à laquelle vous multiplierez ensuite la quantité de glucides, de protéines et de matières grasses par 100 g ou 4 oz afin d'en calculer le total.

Le schéma ci-dessous illustre les différentes rubriques des renseignements sur la valeur nutritive des aliments comme on en trouve sur les boîtes de conserve, les conditionnements ou les sachets d'aliments préparés.

Vérifiez la liste d'ingrédients

En vertu des lois étasuniennes en vigueur, il faut énumérer sur le conditionnement d'un produit tous les aliments qui comptent pour plus de deux pour cent de sa composition. Chaque ingrédient est énuméré selon son importance; ainsi, le premier ingrédient de la liste est celui que l'on trouve en plus grande proportion et ainsi de suite. Doivent également figurer les noms de tous les colorants, additifs, émulsifiants (substances employées afin de favoriser l'émulsion des matières grasses aux autres ingrédients pour éviter qu'ils ne se délient ou ne caillent), gélifiants et stabilisants. Voici où surgit la difficulté car bon nombre de ces ingrédients sont énumérés en fonction des additifs alimentaires.

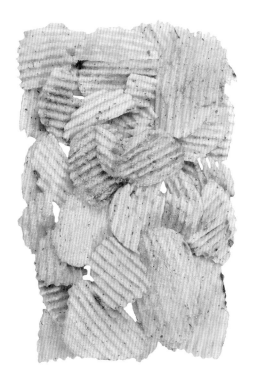

Ingrédients : avoine (18 p. cent), sirop de glucose, riz croquant (contenant du riz et du lait en poudre), raisins secs (9 p. cent), miel (8 p. cent), abricots séchés (7,6 p. cent), huile végétale hydrogénée et huile végétale, flocons de blé maltés, fructose, cassonade, émulsifiant, acide citrique, aromatisants, gélifiant. PEUT CONTENIR DES TRACES DE NOIX.

INFORMATION NUTRITIONNELLE

VALEURS TYPES	PAR UNITÉ	PAR 100 G
Énergie	550kJ	1574kJ
	130kcal	374kcal
PROTÉINES	2,0g	5,8g
GLUCIDES	26,8g	73,4g
tirés du sucre	12,8g	37,2g
MATIÈRES GRASSES	3,2g	9,4g
qui sont saturées	0,7g	2,2g
FIBRES	1,4g	4,2g
SODIUM	0,05g	0,012g

Voici un exemple de données que l'on trouve sur le conditionnement d'une barre énergisante.

Les additifs tant redoutés

Tous les additifs ne sont pas vilains ! Plusieurs d'entre eux désignent des ingrédients naturels et vous auriez intérêt à vous familiariser avec ceux que l'on trouve le plus souvent et ceux qui sont les plus nuisibles, afin de pouvoir cerner en un coup d'œil ceux qui peuvent nuire à votre enfant. La Foods Standards Agency (reportez-vous à la rubrique « Ressources utiles » aux pages 156-157) publie un livret gratuit sur le sujet. Vous devriez en commander un !

Déceler les sucres par leur terminaison

Saccharose, maltose, dextrose, fructose, maltodextrose, glucose, lactose, mannotose, sucre de cane, sirop simple, sirop de maïs, fécule hydrolysée, sucre inverti, voilà autant de mots qui servent à désigner le sucre sous toutes ses formes. Sur les contenants d'aliments pour enfants et de nouveautés alimentaires, qui sont généralement chargés de sucre, on voit souvent deux de ces ingrédients ou plus. En faisant le total des sucres (reportez-vous à « Hydrates de carbone » à la page 45), vous verrez qu'ils constituent souvent presque l'entièreté de l'apport glucidique d'un aliment. Rappelez-vous qu'offrir ces formes de sucre à un enfant ne fera que nourrir son envie pressante d'en consommer davantage. Aussi, atténuez les fluctuations d'humeur de votre enfant en réduisant, voire en supprimant, sa consommation de sucre sous ces formes.

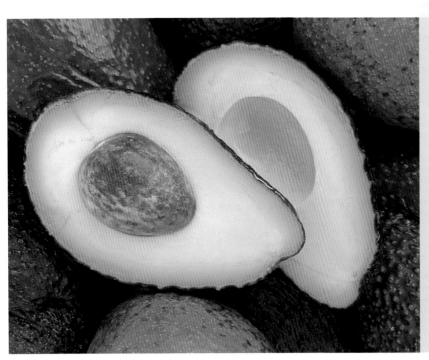

L'une des mesures les plus trompeuses affichées sur les conditionnements des produits touche l'apport calorique des aliments. Les adultes que nous sommes sommes constamment à la recherche d'aliments pauvres en calories, croyant à tort qu'ils contiennent moins de matières grasses. Rien n'est moins vrai ! À l'origine, la kilocalorie servait à mesurer la quantité d'énergie que l'on pouvait tirer d'un aliment quel qu'il fût et cela valait autant pour les fruits et les légumes frais. Il ne s'est jamais agi d'une mesure du contenu lipidique, bien qu'un aliment riche en matières grasses contienne également un nombre élevé de kcal, car il procure une grande quantité d'énergie.

Prenons en exemple l'avocat, que l'on classe souvent parmi les fruits qui font grossir, car il apporte entre 300 et 500 calories. En fait, il contient autant de calories car on peut en tirer beaucoup d'énergie alors que sa matière grasse consiste en gras essentiels oméga-6, lesquels sont utiles au développement des hormones et du cerveau des enfants, ainsi qu'en vitamines B qui leur procurent de l'énergie. Aussi, un avocat est probablement l'une des collations les plus énergisantes que vous puissiez servir à votre enfant.

Trop ou trop peu

La Fondation britannique des maladies du cœur dresse un tableau qui simplifie la lecture des données nutritionnelles. On y énumère la quantité de matières grasses et d'autres ingrédients présents dans un produit que l'on considère faible et celle que l'on considère excessive.

Excessive	Faible
20 g de mat. grasses	3 g de mat. grasses
5 g de graisses sat.	1 g de graisses sat.
10 g de sucre	2 g de sucre
0,5 g de sodium	0,1 g de sodium

Une collation sucrée faite, par exemple, d'un biscuit aux pépites de chocolat, contient quantité de sucre, de matières grasses et de graisses saturées, ainsi qu'une proportion moyenne à forte de sodium. On emploie le sodium ou le sel afin de stabiliser les produits tels que le ketchup, les sauces et les aliments en conserve afin d'en prolonger la durée de conservation. Le sucre sert également de stabilisant aux produits dont la durée de conservation est longue et en particulier aux produits laitiers frais tels que le yaourt aux fruits. (Pour en savoir davantage sur le sucre et ses cachettes, reportez-vous à « Sucre et épices » aux pages 38 à 41.)

Plein feu sur les matières grasses

Nous l'avons vu, les matières grasses entrent dans deux catégories :

- les gras saturés de source animale que l'on considère souvent comme les plus gras d'entre tous; ils sont une bonne source de matières grasses s'ils ne proviennent pas d'aliments frits, p. ex. des parcelles de bacon et des croustilles cuites au four;
- les gras insaturés que l'on trouve dans les sources végétales de protéines telles que les noix, les graines et leurs huiles; ainsi, l'huile d'olive est un gras mono-insaturé, les graines de citrouille sont une source de gras polyinsaturés (principalement des oméga-6) qui sont utiles à l'organisme.

Lorsque vous vous intéressez à la teneur en matières grasses d'un aliment, vous devez voir de plus près quelle est sa proportion de gras et vérifier si son taux de sodium est élevé, ce qui indiquerait qu'il a été frit, et voir s'il faut le faire réchauffer à température élevée (ce qui supprimerait tous ses éléments nutritifs).

Rappelez-vous que si un produit contient des protéines d'origine animale, sa teneur en matières grasses est relativement élevée, ce qui est acceptable pour peu que vous ne serviez pas un plat d'accompagnement qui contient de fortes proportions de matières grasses (p. ex. un dessert riche en produits laitiers). C'est le trop-plein de matières grasses au cours d'un même repas qui surcharge le système digestif de votre enfant et qui peut le faire grossir au fil du temps.

Les glucides

La teneur glucidique d'un produit est toujours énumérée après son apport en protéines et la quantité globale des glucides est décomptée en fonction de leur provenance (il est écrit « tirés du sucre »). Il importe de s'intéresser à cette dernière catégorie car on découvre alors le pourcentage de sucres que contient un produit. Ainsi, une tablette de muesli soi-disant santé peut contenir 65,6 pour cent de glucides par portion de 100 g (4 oz), dont 49 pour cent sont tirés du sucre. Par conséquent, près du tiers de la tablette de muesli que mange votre enfant est en fait du sucre.

Se familiariser avec le décodage des informations nutritionnelles des aliments n'a rien de sorcier pour peu que l'on sache quoi regarder. Il s'agit là d'une importante mesure en vue de savoir de quoi on nourrit un enfant.

Conseil

En donnant des fruits et légumes crus et frais en collation à votre enfant, vous aurez moins recours aux produits du commerce qui regorgent d'additifs et de colorants.

Le garde-manger santé

Un garde-manger bien pourvu témoigne de la bonne tenue d'une cuisine et du sérieux du chef. Avec un minimum d'organisation, vous n'aurez pas à préparer chaque jour de nouveaux plats ni à vous faire du souci lorsque vous ne pourrez pas vous rendre au supermarché parce que votre enfant est malade et que vous devez rester auprès de lui.

Il est toujours utile d'avoir des haricots, des lentilles et de la sauce tomate en conserve pour préparer un goûter en moins de deux. Rares sont celles et ceux qui ont le temps de faire tremper les légumineuses toute une nuit et de les faire bouillir deux fois avant de les incorporer à la nourriture de leurs enfants. Bon nombre de ces aliments conservent leur valeur nutritive lorsqu'on les marie de façon originale à des produits frais (par exemple, du poulet, des œufs et des légumes) dans un ragoût ou un potage.

Prenez avec vous la liste suivante lorsque vous allez au supermarché. Ainsi, vous ne serez jamais pris au dépourvu et vous aurez toujours quelque chose de nutritif à servir à votre petit.

Aide-mémoire pour garnir le garde-manger

Produits secs

Riz basmati complet

Pâte de sarrasin ou orzo

Pâte de maïs

Spaghetti ou tagliatelle
de blé complet

Polenta (farine de maïs)

Orge

Flocons de millet

Semoule (couscous)

Bulgur

Céréales et biscuits

Flocons d'avoine pour le porridge

Muesli

Flocons de maïs (non sucrés)

Riz soufflé (non sucré)

Pain azyme

Craquelins au seigle

Craquelins

Gâteaux à l'avoine

Craquelins au riz

Fruits séchés

Abricots

Raisins

Pruneaux

Figues

Pêches

Mangues

Rondelles de pomme

Légumineuses
(en conserve ou séchées)

Lentilles

Pois fendus

Haricots rognons

Haricots à œil noir

Pois chiches

Haricots de Lima

Confitures, épices, fines herbes, sauces, huiles et vinaigres

Confiture et marmelade à
teneur réduite en sucre

Muscade

Cannelle

Gousses de vanille
(un édulcorant naturel)

Anis étoilé

Poudre de gingembre

Basilic, sauge et romarin séchés

Chutney à la mangue

Concentré de tomates
Ketchup à teneur réduite en
sucre (peut être fait maison)

Pesto

Sauce tamari
(sauce soja sans blé)

Huile d'olive

Huile de tournesol

Huile de sésame

Vinaigre de vin

Vinaigre de cidre

Jus de citron

Conserves

Sardines

Thon

Saumon

Haricots bio cuits au four
(à teneur réduite en sucre)

Tomates concassées

Cerises

Poires

Abricots

Nourriture pour bébé

Lait maternisé en poudre

Légumes et fruits
(bio de préférence)

Biscottes (à teneur réduite
en sucre)

Ces aliments et assaisonnements ne doivent pas constituer les pièces maîtresses de l'alimentation de votre enfant. Servez-vous-en plutôt en guise de compléments aux produits du marché que vous achetez chaque jour. Rien ne remplace les fruits et les légumes frais, bien que plusieurs aliments en conserve (le poisson, par exemple) conservent leurs qualités nutritives et permettent à l'enfant d'obtenir les protéines nécessaires à sa croissance.

Habitudes alimentaires et régimes particuliers

Les enfants savent d'instinct si un aliment leur convient ou pas. Leur nez et leur palais sont leurs guides, et ils se détournent souvent des aliments qui risquent de provoquer chez eux une réaction indésirable.

Vous avez intérêt à présenter à votre enfant une grande variété d'aliments dès son plus jeune âge afin d'atténuer toute possibilité qu'il ne développe des allergies ou des sensibilités alimentaires. En fait, la plupart des enfants sont peu, voire pas du tout, sensibles aux aliments.

Certains enfants mangent tout ce qu'on leur présente, tandis que d'autres font des caprices ou recherchent certains aliments pour des raisons particulières. À bien saisir les facteurs qui conduisent à leur refus de manger tel ou tel aliment, vous vous épargnerez nombre de frustrations et d'heures passées en vain dans la cuisine. La section suivante mettra en lumière les habitudes et les besoins alimentaires plus pointus.

Lorsque l'enfant refuse de manger

Raisons d'ordre physique

1. L'enfant ne se sent pas bien. Il est normal qu'il refuse de manger s'il couve une maladie. Les parents jugent souvent qu'un manque d'appétit est un indice avant-coureur. Assurez-vous qu'il boit beaucoup pour éviter qu'il ne se déshydrate et donnez-lui une boisson à base de sels minéraux (telle que Dioralyte) s'il souffre de diarrhée ou afin de prévenir un déséquilibre des minéraux.

2. Inactivité. Si votre enfant n'a pas couru de toute la journée, s'il est resté sagement devant la télé, il n'aura pas dépensé autant d'énergie que s'il avait joué à l'extérieur. Jaugez son appétit en fonction de ses besoins en matière d'énergie.

3. Un aliment lui déplaît. Les papilles gustatives des enfants sont d'ordinaire plus sensibles que celles des adultes et ils peuvent déceler si un aliment qu'on leur présente leur occasionnera des maux d'estomac.

4. La poussée des dents de lait ou celle des dents permanentes peut provoquer quelque douleur, en particulier lorsque l'enfant mange. Vérifiez que ses dents poussent comme il se doit.

Il appert parfois que les habitudes alimentaires d'un enfant se transforment du jour au lendemain. Lui qui n'a jamais été capricieux et n'a jamais refusé aucun aliment peut sembler soudain désintéressé, maussade ou sans appétit. Plusieurs raisons, autres que vouloir se montrer insupportable, peuvent expliquer la chose.

Au chapitre de l'alimentation, la question du contrôle peut devenir un enjeu important. L'enfant peut provoquer une réaction radicale lorsqu'il refuse de manger, ce qui peut faire naître chez vous un sentiment de frustration, de colère, en particulier si vous vous êtes efforcé de lui préparer des aliments sains. Il s'apercevra qu'il peut ainsi vous faire réagir et ne manquera pas de récidiver afin de vous manipuler. Il ne s'agit toutefois pas d'un comportement arrogant; simplement, l'enfant éprouve ses limites et use de son intelligence.

Il importe de ne pas imposer vos vues en pareil moment car cela pourrait faire naître, au fil du temps, des troubles liés à l'alimentation arrimés à un comportement négatif. Tentez plutôt de voir avec lui les raisons pour lesquelles il refuse de manger. Ménagez-lui la possibilité de s'exprimer au lieu de le menacer de le priver de dessert s'il s'obstine à refuser de manger son mets principal. Bon nombre d'enfants sont contraints de consommer des aliments qui, en bout de ligne, entravent leur digestion; aussi, importe-t-il de tenir compte des crampes d'estomac et de la diarrhée, qui sont de réels symptômes d'intolérance qui apparaissent bien avant que la voix d'un enfant se fasse entendre. Inversement, les enfants qui vomissent souvent alors qu'ils mangent ou après leurs repas peuvent montrer les signes avant-coureurs d'un trouble alimentaire (reportez-vous à « Surpoids ou poids insuffisant » aux pages 52 et 53).

Partager les repas

Les parents qui ont un emploi contraignant rentrent souvent à la maison après que leurs enfants ont mangé. Efforcez-vous d'aménager votre horaire de telle sorte que vous partagiez au moins un repas par jour avec vos enfants et faites-en un moment agréable où les plaisirs de la table se marient à ceux de la conversation. Rien ne vous interdit de partager le même repas et, si vos enfants sont d'âges différents, les plus jeunes peuvent être conviés à goûter aux aliments de leurs aînés pour éviter qu'ils ne se sentent exclus. Partez du principe qu'un enfant est désireux de goûter à tout et qu'aucun aliment n'est réservé aux adultes, à moins d'une intolérance.

Raisons d'ordre émotif

1. Une préoccupation relative au poids : De nos jours, les enfants deviennent conscients de leur corps à un âge étonnamment jeune. Il n'est pas inhabituel d'entendre des fillettes de cinq ou six ans parler de régime amincissant et de leur apparence physique. Si vous-même avez eu un problème de poids, veillez à ne pas le communiquer à votre enfant. Jusqu'à l'âge de 10 ou 11 ans, un enfant sain peut avoir les jambes ou les bras potelés. De même, certains sont grands et minces comme des haricots et peuvent être conscients de leur apparence lorsqu'ils doivent se changer en présence de leurs camarades de classe. Une bonne conversation à ce sujet est indiquée; porter des jugements catégoriques ne ferait qu'exacerber le problème.

Suggestions pour les caprices d'enfant

Servez-lui de petites portions; vous pourrez toujours lui en redonner.

Présentez-lui seulement un nouvel aliment à la fois. Aucun enfant n'est ravi en apercevant dans son assiette trop d'aliments qu'il ne connaît pas.

Faites en sorte que les repas soient d'heureux moments. Bavardez avec lui plutôt que de brusquer les choses mais ne le laissez pas s'amuser avec ses jouets alors qu'il se trouve à table. Ils feraient alors une distraction.

Faites en sorte que le contenu de l'assiette soit coloré et attrayant. Vous n'auriez pas davantage envie que lui de vous trouver devant des aliments fades et trop cuits.

Ne manifestez pas de colère lorsque votre enfant refuse de manger. Demandez-lui ce qui ne va pas et invitez-le à en parler.

Donnez-lui des collations de fruits frais, de légumes crus ou de craquelins et de fromages à intervalles réguliers entre les repas afin que son taux de glycémie reste équilibré.

Un enfant qui a faim peut devenir irascible. Planifiez les repas pour éviter les extrêmes car un enfant tenaillé par la faim ou fatigué est moins susceptible de manger.

Laissez votre enfant prendre part à la préparation des repas, qui en intéresse plus d'un.

2. Une crainte innommée : Votre enfant tente peut-être de vous dire quelque chose et son peu d'appétit peut n'être qu'un subterfuge pour attirer l'attention. Alors que les enfants s'adonnent souvent à cette ruse, vous devriez vous pencher de plus près sur ses véritables motivations, en particulier s'il cesse de manger comme il se doit à l'école. Est-ce qu'on le brutalise ou éprouve-t-il des difficultés dans une matière? Tous les enfants perdent l'appétit lorsqu'ils éprouvent une crainte.

Surpoids ou poids insuffisant

On se préoccupe grandement de l'obésité chez les enfants car les études à ce sujet révèlent qu'elle atteint chaque année des proportions de plus en plus grandes. Beaucoup d'ouvrages et d'articles se sont attardés à l'insuffisance d'activité physique chez les enfants, en comparaison à la situation qui prévalait il y a 15 ou 20 ans.

Raisons de l'obésité

- On mange en réaction au stress ou à l'insatisfaction.
- On consomme trop d'aliments à forte teneur en sucre ou dont l'indice glycémique est élevé (reportez-vous aux pages 38 à 41).
- On mange trop au cours d'un même repas.
- On boit trop de boissons très sucrées.
- On ne prend pas suffisamment d'exercice physique.
- On grignote trop entre les repas.
- On souffre d'un dérèglement endocrinien, plus particulièrement de la glande thyroïde (un état pathologique qui doit être diagnostiqué par un médecin ou un praticien de la santé).
- Une absorption insuffisante des principaux éléments nutritifs qui provoque une sensation de faim constante. Voyez le nombre de calories vides que votre enfant peut consommer.

De gros chiffres et de gros mots

La réalité fait frissonner. Le nombre d'enfants atteints d'obésité a doublé au cours des 20 dernières années aux États-Unis et ce chiffre n'est pas beaucoup moins élevé au Royaume-Uni où le tiers des enfants est obèse sur le plan clinique dès l'âge de 11 ans. Si cette situation est en partie attribuable à un manque d'activité physique et au nombre élevé d'heures passées devant le téléviseur, nous devons également nous pencher sur le type d'aliments que nous servons à nos enfants. Nul ne s'étonnera de les voir prendre des kilos devant la gamme d'aliments prêts-à-servir que nous leur refilons afin qu'ils soient sages.

Nous savons que les enfants entassent des cellules adipeuses au cours des cinq premières années de leur vie et que, dès lors qu'elles sont en place, ils ont du mal à s'en défaire. Il est malheureux de voir un enfant affronter la vie avec des régimes et des privations afin de contrer la voracité de ses cellules adipeuses. Toutefois, vous devez savoir que le cadre familial est en grande partie responsable de cet état et qu'un enfant dont les deux parents sont atteints d'obésité risque de l'être également.

Poids plume

L'enfant dont le poids est inférieur à la norme se trouve dans une situation bien différente, elle aussi porteuse d'angoisse. Plusieurs raisons peuvent expliquer la maigreur, dont la plupart sont d'ordre métabolique et physique. L'appétit d'un enfant peut sembler insatiable alors qu'il ne prend jamais de kilos. Il n'y a pas lieu de s'en inquiéter mais il faut alors s'assurer qu'il mange régulièrement afin de maintenir l'équilibre de son taux de sucre dans le sang.

Il faut également tenter de voir si en filigrane le désir d'avoir l'air cool joue sur les habitudes alimentaires de l'enfant. Vous n'êtes pas sans savoir que les jeunes sont inondés d'images de leurs idoles, chanteurs, actrices et mannequins vedettes d'une minceur souvent cadavérique, à qui ils veulent ressembler.

Ce désir peut être plus fort que l'envie de manger. L'enfant s'interdit alors de consommer certains aliments ou s'impose un virage santé : il devient végétarien, ne mange que de grandes quantités de fruits, de légumes ou de salades; il ne touche plus les grains, la volaille et la viande en s'appuyant sur des principes qui ne sont pas toujours bien définis. On assiste à ce genre de comportement à un âge de plus en plus jeune, certains s'y adonnant aux prémices de l'adolescence, d'autres dès l'âge de sept ou huit ans, les fillettes en particulier. Les parents doivent alors s'assurer qu'ils ne sautent pas de repas lorsqu'ils sont à l'école ou qu'ils mangent ailleurs qu'à la maison.

Alors que plusieurs s'interrogent sur l'influence de la presse, du cinéma et de la télévision sur l'image de soi qu'ils renvoient aux enfants, il existe un aspect sur le plan nutritionnel qu'il ne faudrait pas oublier. Certains enfants brûlent beaucoup plus de protéines et de zinc au cours de leur croissance ou alors ont tendance à privilégier les aliments riches en glucides (par exemple les pâtes, le pain et le riz), ce qui leur fait une alimentation pauvre en zinc.

On a découvert que le zinc est presque absent de l'organisme des enfants et des adolescents qui souffrent d'anorexie, de boulimie et d'autres troubles alimentaires, alors qu'il est lié de manière complexe aux cellules du cerveau qui gouvernent l'image de soi et l'estime personnelle. Des suppléments alimentaires offrant du zinc et des protéines pré-digérés peuvent mettre un frein à un problème plus grave à longue échéance mais on ne doit s'aventurer en ce sens qu'après avoir consulté un expert-conseil en nutrition ou un praticien de la santé.

Un problème plus grave

L'apparition d'un trouble alimentaire peut survenir très rapidement et les raisons sous-jacentes ne sont pas toujours apparentes sur le coup. Il faut confier aux soins d'un thérapeute, d'une diététiste ou d'un expert-conseil en nutrition l'enfant atteint d'anorexie ou de boulimie car ces troubles peuvent avoir de graves incidences sur sa croissance et son équilibre hormonal. Bon nombre d'enfants anorexiques ou boulimiques carburent pendant plusieurs mois d'affilée au cola, se nourrissent d'un peu de fruits et s'empiffrent de temps à autre afin de satisfaire temporairement leur faim. Ne fermez pas les yeux sur les indices révélateurs du problème car, au moment où vous les constatez, ils peuvent être en place depuis longtemps. Reportez-vous aux pages 156-157 pour savoir vers qui vous tourner en pareil cas.

La responsabilité première incombe aux parents de s'assurer de l'équilibre des choix alimentaires de leurs enfants. Un enfant commence souvent à s'alimenter de manière incontrôlable aussitôt que son poids monte en flèche et il ne sait pas ce qui lui arrive. Convenez d'un régime en compagnie d'un diététiste ou d'un praticien de la santé si vous ne savez pas exactement quoi faire alors.

Conseil

Offrez-lui des amuse-gueule santé tels que des crudités et des fruits frais en guise de collations entre les repas plutôt que des aliments prêts-à-servir salés ou sucrés.

Raisons de l'insuffisance pondérale

- Des carences alimentaires
- Une perte d'appétit
- L'énergie se consume à un rythme trop rapide
- Une piètre absorption des éléments nutritifs présents dans les aliments
- Les privations que s'impose le sujet
- Un végétarisme déréglé
- Un déséquilibre émotionnel
- Un désir de manipuler ses parents ou son entourage

Évolution des besoins

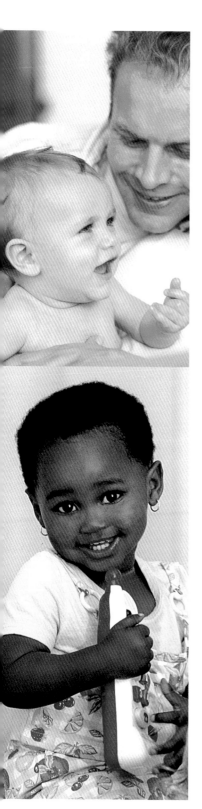

Combien de fois avez-vous entendu une mère ou un père se plaindre que son enfant ne voulait manger que des pâtes ou des pommes de terre ? Ou qu'il ne voulait d'aucun légume et qu'il mangeait du poulet mais pas d'œufs ?

Certains enfants sont certes capricieux mais on entend d'ordinaire ce genre de récrimination lorsqu'un enfant franchit une étape de sa croissance, qu'elle soit physique ou intellectuelle. Il importe alors de voir à quelle étape il en est afin de décider du genre d'aliments dont il a besoin à ce stade de son évolution. À la deuxième partie de cet ouvrage, nous nous pencherons sur les aliments utiles aux différentes étapes de la croissance de l'enfant mais vous devez connaître le contenu nutritif de ces aliments quel que soit son âge.

Le syndrome des pâtes et des pommes de terre

Les pâtes et les pommes de terre ont un contenu glucidique concentré et constituent une excellente source d'énergie. Si on lui en laisse le choix, votre enfant préférera sûrement les pâtes et les croustilles aux viandes et aux volailles. Le cas échéant, vous devez faire en sorte que des protéines se trouvent dans son assiette pour veiller à sa croissance et à son développement. Mais la grande question reste peut-être celle-ci : quelle est la somme d'énergie dont un enfant a besoin ?

Si l'enfant vient de commencer à marcher ou à parler, s'il vient d'entrer à l'école ou s'il vient de se mettre à la pratique d'un sport ou d'une activité physique, son appétit peut soudain s'aiguiser et il vous semblera qu'il consomme de grandes quantités d'aliments. Les glucides sont les aliments qui lui fourniront le plus d'énergie dans le plus court laps de temps, qu'il s'agisse de céréales, de pâtes ou de fécules telles que les pommes de terre. Bien que l'indice glycémique de ces aliments soit relativement élevé (reportez-vous à « Sucre et épices » aux pages 38 à 41), ils sont une source instantanée d'énergie et donnent un coup de fouet au moral. Et votre enfant n'est pas insensible à cela.

La sérotonine ou celle par qui le bonheur arrive

Deux neurotransmetteurs chimiques sont présents dans le cerveau, la sérotonine et la dopamine. La sérotonine exalte un sentiment de bien-être, l'enthousiasme et le rire alors que la dopamine provoque la détente, le calme et la quiétude (dont le sommeil). Ces deux substances chimiques occupent les extrémités opposées d'une balançoire à bascule et régulent l'humeur de l'enfant d'un moment à l'autre. Plusieurs aliments et boissons rompent cependant cet équilibre délicat, ce qui donne lieu à l'hyperactivité induite par des substances chimiques, la plus répandue de ses formes (reportez-vous à « Savoir reconnaître les indices de l'hyperactivité » aux pages 70 et 71).

Chose intéressante, lorsqu'on les consomme seuls, les glucides font s'accroître sensiblement le taux de sérotonine en un court laps de temps et les enfants deviennent particulièrement sensibles à la chose sans comprendre pourquoi. L'effet est différent de celui qui s'empare d'un enfant qui vient de consommer un sachet de croustilles, quelques biscuits ou une tablette de chocolat; dans ce dernier cas, l'effet est enclenché par les sucres qui font croître le degré d'activité, non pas par les glucides.

Quoi qu'il en soit, vous devriez prévoir une source de protéines au régime de l'enfant (d'origine animale ou végétale) afin d'atteindre un équilibre et faire en sorte qu'il conserve plus longtemps son niveau d'énergie et sa bonne humeur. Ainsi, versez de l'huile de noix sur ses pâtes, ajoutez des pignons au pesto ou des dés de jambon ou de poulet à la sauce tomate pour lui assurer une source de protéines sans lui faire avaler toute une poitrine de poulet.

La charpente osseuse

À ce stade, le rythme de croissance des enfants nécessite différents éléments nutritifs en diverses proportions selon qu'ils sont nécessaires à la formation des os, des muscles et des tissus cutanés. Chacun sait que le calcium est utile à la formation des tissus osseux la vie durant, mais il faut également assurer la présence d'éléments nutritifs qui veillent à son absorption, notamment le magnésium, le bore, le manganèse et la vitamine D. On trouve du calcium dans tous les produits laitiers mais tous les enfants ne tolèrent pas ces produits au quotidien. Il faut alors se tourner vers d'autres sources pour s'assurer que l'enfant tire de son alimentation le plus de calcium qu'il peut. Ainsi, les sardines, le saumon, le jaune d'œuf, le brocoli, le sésame, les graines de citrouille et de tournesol, les amandes et les noix sont d'excellentes sources de calcium. De plus, les légumes à feuilles vertes fournissent suffisamment de magnésium pour métaboliser le calcium et favoriser la saine croissance des dents et des os.

Favoriser le changement

Bien qu'il puisse être contrariant de devoir vous adapter aux besoins changeants de votre enfant, dites-vous que des ressorts biologiques sont à l'œuvre et qu'il s'agit davantage que de caprices de sa part. Bien sûr, un enfant peut faire la fine bouche mais, cela étant, il est normal qu'il apprécie un aliment pendant une semaine et qu'il le déteste la semaine suivante. Ne faites donc pas trop ample provision de chaque aliment car un jour ou l'autre vous risqueriez de ne savoir qu'en faire.

Légumes et fruits rouges, orange et jaunes

Carottes
Citrouille
Patate douce
Courge
Panais
Rutabaga
Poivrons rouges, orange et jaunes
Tomates
Grenade
Pommes rouges
Poires
Mûres
Framboises
Fraises
Cerises
Pastèque
Abricots
Mangue
Oranges
Prunes
Pêches
Papaye

Les légumes verts, très peu pour moi!

Nombre de parents savent combien il est frustrant de convaincre un enfant de manger des légumes et que cela n'est pas toujours possible. Tenter de les camoufler sous une sauce à la tomate n'est pas toujours judicieux car, si l'enfant s'en rend compte, il devient désormais méfiant devant tous les nouveaux fruits et légumes qu'on lui présente. Le meilleur moyen de contourner la difficulté inhérente aux légumes verts consiste à lui en servir d'autres couleurs. Bien que les légumes verts contiennent le plus de vitamines et de minéraux, lui servir des légumes et des fruits d'autres couleurs lui assurera sa ration quotidienne d'éléments nutritifs. Vous pourriez également ajouter à son alimentation des multivitamines liquides (reportez-vous à « Vitamines et minéraux » aux pages 152 à 155).

Plusieurs fruits et légumes peuvent être jumelés pour en faire des boissons riches en vitamines (reportez-vous à l'encadré ci-dessus). On peut également préparer des boissons fouettées et des desserts en mariant des purées de fruits à du yaourt nature ou à une crème anglaise (reportez-vous à « Desserts et gâteries » aux pages 144 à 147).

Vous pouvez réduire les légumes en purée et les enduire de chapelure pour en faire des croquettes que vous frirez dans une poêle. Elles prennent peu de temps à préparer, vous pouvez les congeler par lots et elles font un excellent moyen de varier l'ordinaire. Les légumes-racines ont un goût sucré qui semble plaire aux palais les plus réfractaires.

Bon nombre d'enfants qui refusent de manger des légumes cuits seront heureux de croquer dans ceux-ci s'ils sont crus. Faites donc bonne provision de bâtonnets de carotte, de courgette et de céleri pour leur offrir une collation saine plutôt qu'une gâterie du commerce. On trouve dans les supermarchés des plateaux de crudités qui simplifient la vie des mamans; déposez-en dans la boîte-repas de votre enfant en remplacement des biscuits au chocolat.

Les soupes et les potages sont tout indiqués pour lui faire manger davantage de légumes, dont le panais, les poireaux, les carottes et la patate douce (ils servent tous à épaissir le bouillon et peuvent faire d'excellentes purées). Les abricots séchés et les raisins secs sucreront naturellement les desserts et feront une source de fer dont l'enfant pourrait manquer s'il consomme peu de légumes verts.

Le fer joue à cache-cache

Une carence en fer n'est pas la seule cause d'anémie. L'organisme doit compter avec un approvisionnement régulier en vitamine B6, en acide folique et en vitamine B12 pour assurer la production de globules rouges. On trouve ces éléments nutritifs dans toutes les viandes et protéines d'origine animale, ainsi que dans les grains complets tels que l'orge, le millet, le seigle et l'avoine. Aussi, un bol de porridge servi avec du lait, des pêches ou des figues fraîches, des raisins secs ou de Smyrne fait un excellent point de départ au petit déjeuner.

Quel que soit l'aliment préféré du moment, une alimentation variée préviendra à long terme les carences nutritives. Vous devez user de discipline et ne pas baisser les bras devant un refus mais pas au point de contraindre l'enfant à manger d'une chose dont il ne veut pas. Rappelez-vous que la cuisine ou la salle à manger est un lieu convivial.

Aliments riches en fer
- Cresson
- Jaune d'œuf
- Porridge (bouillie d'avoine)
- Riz brun
- Lentilles
- Abricots
- Raisins secs ou de Smyrne
- Pêches
- Figues

Aliments doudou

Dès le moment de la naissance, le nouveau-né se tourne tout naturellement vers le sein de sa mère afin de trouver nourriture et réconfort. Il est inévitable qu'un réflexe aussi ancré trouve des répercussions longtemps après le sevrage de l'enfant.

Plusieurs écoles de pensée s'affrontent quant au bien-fondé d'employer une sucette afin d'apaiser un bébé agité et nul n'a encore tranché s'il convient d'en prolonger l'usage au-delà de quelques semaines après le sevrage sous prétexte qu'à long terme elle peut nuire à l'alignement des dents. Nombre de nouveau-nés s'attachent à leurs joujoux et aux douces couvertures de leur berceau ou de leur lit, qui sont également sources de réconfort.

On ne s'étonnera pas d'apprendre que les aliments peuvent satisfaire le même réflexe et que nombre d'enfants aiment téter des aliments solides (qui sont souvent sucrés) pendant un bout de temps avant de s'adonner à d'autres activités, par exemple regarder la télé ou jouer à la poupée.

Vous devez comprendre en quoi ce réflexe qui pousse l'enfant à téter contribue à son sentiment de sécurité afin de déterminer les moments où ce geste est opportun. Il faut savoir que les enfants désirent souvent sucer un suçon ou lécher de la crème glacée simplement pour sa teneur en sucre et non pas à cause d'un sentiment de sécurité qu'il ferait naître. Si votre enfant recherche la sécurité, vous feriez mieux de lui tenir la main ou de le prendre dans vos bras.

Dénier à un enfant le réconfort qu'il réclame c'est lui faire subir une négligence pire que le priver de nourriture lorsqu'il a faim. Il est préférable de lui parler et de le rassurer plutôt que lui donner à manger car cette habitude pourrait faire naître un réflexe manipulateur par la suite.

Un faible pour les sucreries

Les aliments chauds sont les plus satisfaisants pour un nouveau-né parce que le lait maternel est à la température du corps et qu'il est plus facile d'avaler un aliment chaud que froid. Vers l'âge de trois ou quatre ans, les enfants deviennent moins pointilleux quant à la température de leurs aliments et s'intéressent davantage aux saveurs. Dès lors qu'un enfant goûte à son premier aliment sucré, il conservera son goût en mémoire, bien que nous ne sachions pas encore ce qui distingue un enfant qui a un faible pour les sucreries d'un autre qui leur est indifférent.

On peut croire sans crainte de se tromper que les aliments qui contiennent du sucre à l'état naturel, par exemple les légumes-racines

et les fruits, sont moins susceptibles de provoquer des envies irré-
pressibles de sucre que ceux qui contiennent un édulcorant artificiel.
Voilà pourquoi il est nettement préférable de donner à votre enfant
des desserts à base de fruits afin de satisfaire ses envies de sucré
(plutôt que du chocolat, du caramel ou d'autres aliments à forte teneur
en sucre). Vous lui enseignerez par l'exemple de façon positive en lui
proposant des fruits en guise de collation à toute heure du jour. Si
vous lui proposez de manger un peu de fruit avant un aliment contenant
du sucre artificiel, il aura par la suite moins envie de consommer
quantité de sucreries et de bonbons. Lorsque vous passez chercher
votre enfant à l'école, offrez-lui un fruit plutôt qu'une tablette de chocolat
pour lui faire un remontant sain.

Aliments récompenses

Un enfant recherche naturellement l'amour et l'approbation de ses parents, et les récompenses qu'on lui offre servent à mesurer cette réalisation. Combien de fois entend-on un enfant négocier de la sorte : « Si je fais ceci, pourrai-je avoir cela ? » Ce genre de marchandage lui fut enseigné par ses parents. Vous devez voir si vous employez les aliments en guise de récompense, que ce soit à table ou à la cuisine.

Situations où les aliments servent de récompenses

- Si tu ranges ta chambre ou la salle de jeux, tu auras une glace.
- Mange tout ce qu'il y a dans ton assiette et tu auras un dessert.
- Amuse-toi sans faire de bruit pendant une demi-heure et je t'offrirai une tablette de chocolat.
- Fais tes devoirs et tu auras des biscuits.

Quelle que soit la situation, l'enfant perçoit que les sucreries lui sont offertes en guise de récompenses (à la place d'une pomme, d'une banane ou de bâtonnets de carottes qui risquent de susciter le même enthousiasme).

L'alimentation, pas la punition

Il importe de distinguer les situations où les aliments servent de pots-de-vin de celles où ils sont offerts en récompense à un enfant méritoire. Les enfants doivent apprendre que tous les aliments naturels sont délicieux et qu'aucun aliment ne leur est présenté en guise de punition. Les aliments se trouvent sur la table afin de les nourrir, non pas pour les punir. L'image du bol de gruau répugnant que l'on sert de manière horrible dans le film Oliver ! reste gravée en mémoire comme un châtiment lié à l'alimentation.

Le pire danger qui guette le parent qui se sert à mauvais escient des aliments en guise de récompense est de voir son enfant acquérir un goût prononcé pour le sucre qui ne le quittera plus. Nombre d'adultes d'âge moyen ont combattu l'obésité pendant une grande partie de leur vie, eux qui ont consommé quantité de sucre dès la petite enfance.

Devant la menace croissante que pose l'obésité dès le jeune âge et le risque accru de souffrir de diabète en raison de mauvaises habitudes alimentaires, il est primordial de réduire au maximum la consommation d'aliments édulcorés, de gâteries et de croustilles salées. Ces aliments contiennent tous des produits chimiques qui feront naître en peu de temps une faim tyrannique pour les mêmes produits. Ils inhibent également la sensibilité des papilles gustatives qui ne discernent plus les saveurs nuancées des aliments naturels. Évitez-vous ce genre de problème en préparant de délicieux desserts et des barres ou des biscuits santé à partir de la recette de céréales granola de la page 135.

L'enfant végétarien

Il revient à chaque parent de décider s'il élève son enfant selon les principes du végétarisme mais, le cas échéant, il doit connaître les protéines d'origine végétale dont dépend la croissance optimale (pas seulement normale) du petit.

« On trouve davantage de calcium dans une portion de brocoli frais que dans un verre de lait. »
Food Values

Certains enfants se tournent vers le végétarisme car ils n'apprécient pas le goût ou la texture de la viande et de la volaille. Il ne faut jamais contraindre un enfant à manger d'un aliment dont il ne veut pas mais vous devez vous assurer qu'il tire de son alimentation tous les éléments nutritifs essentiels sans pour autant que cela devienne un enjeu.

Les minéraux, dont le zinc, le calcium, le magnésium, le fer et le sélénium, sont les éléments nutritifs les plus importants que l'on trouve dans les produits laitiers. Alors que le calcium, le magnésium et de fer sont tous nécessaires à la santé des os et du système cardiovasculaire, le zinc et le sélénium sont essentiels à la santé des systèmes digestif et immunitaire. On conseille aux enfants végétariens de prendre des suppléments quotidiens de vitamines et minéraux.

Substituts végétaux aux minéraux essentiels

	D'origine animale	D'origine végétale
Calcium	Produits laitiers, sardines, saumon	Germes de soja, graines de tournesol, amandes, graines de sésame, légumes à feuilles vertes, dont le brocoli
Magnésium	Crabe, poulet	Légumes à feuilles vert foncé, citrons, pamplemousses, amandes, figues, raisins secs, aubergines, , oignons, carottes, pommes de terre, maïs
Fer	Viande rouge, foie, jaunes d'œufs	Noix, graines de tournesol, millet, avoine, riz brun, figues, avocats, cerises, bananes, raisins secs, pruneaux, abricots, brocoli, asperges, chou frisé, lentilles
Zinc	Viande, œufs, poulet, sardines, thon	Graines de tournesol, graines de citrouille, germe de blé, sarrasin, seigle, riz brun, avoine, amandes, concombres, carottes, chou-fleur, laitue, baies
Sélénium	Crustacés, fruits de mer	Graines de sésame, germe de blé, tomates, brocoli

Fonction des protéines

Afin de veiller à ce que l'alimentation d'un enfant végétarien soit équilibrée, vous devez savoir comment combiner les protéines d'origine végétale. Étant donné que les protéines forment les composants du corps de l'enfant (en particulier ses hormones et ses systèmes immunitaire et digestif), il est essentiel de prévoir à ses menus le plus de protéines d'origine végétale possible afin qu'il n'en manque pas.

Les protéines d'origine animale sont intrinsèquement complètes, c.-à-d. qu'elles contiennent les huit acides aminés essentiels dont l'organisme a besoin pour former ses composants. Cependant, les protéines d'origine végétale (à l'exception du soja et du varech qui comptent rarement pour beaucoup dans l'alimentation d'un enfant) sont incomplètes et il est, par conséquent, nécessaire de les combiner afin de fournir à l'organisme un apport quotidien en acides aminés (reportez-vous à « Composants essentiels » aux pages 16 à 19).

À propos de végétalisme

Un régime végétalien ne comporte strictement aucune protéine d'origine animale. Il faut savoir que les enfants qui ne consomment aucun produit d'origine animale risquent de souffrir d'une carence de vitamine B12 car cette dernière ne se trouve dans aucune source végétale à l'exception de la spiruline. En fait, on ignore si les sources animales ou végétales de la vitamine B12 sont biologiquement accessibles aux enfants et, comme les symptômes d'une carence en vitamine B12 sont semblables à ceux d'une carence en fer, le problème ne serait en rien résolu si l'enfant prenait des suppléments de fer. Les parents feraient mieux de consulter un spécialiste de l'alimentation.

Groupes de légumes sources de protéines

Choisissez des aliments de chacun des groupes suivants pour que votre enfant profite des différents acides aminés.

Produits du soja

Miso (pâte de soja fermentée)

Tempeh (succédané de viande à base de soja)

Tamari (sauce soja exempte de blé)

Tofu (caillé de soja)

Légumineuses

Lentilles

Pois cassés

Pois verts

Autres legumineuses

Haricots rognons

Pois chiches

Haricots de Lima

Haricots à œil noir

Haricots blancs (dont on fait les fèves au lard)

Noix et graines

Noix et graines

Amandes

Noix du Brésil

Noix

Noisettes

Pignons

Pacanes

Cajous

Arachides (vérifiez les risques d'allergies)

Sésame

Tournesol

Citrouille

Lin

Remarque : Toutes les noix peuvent servir à la préparation de beurre pour peu que l'enfant n'y soit pas allergique.

Étant donné que les graines de sésame, de citrouille et de tournesol se décomposent difficilement et que leur digestion peut être ardue, on conseille de les moudre et de les ajouter à du lait ou du pouding de soja afin d'accroître leur teneur en protéines. Vous pouvez ajouter des noix aux sautés et aux ragoûts pour leur ajouter texture et protéines, alors que les haricots apportent une texture charnue aux potages, aux hambourgeois végétariens et aux rissoles.

Allergies et intolérances

On évalue qu'à compter de l'année 2005 un enfant sur deux manifestera une forme de réaction allergique à ses aliments au cours des 10 premières années de sa vie. Cela pourrait être attribuable à l'emploi massif d'additifs, de colorants et d'excipients que l'on ajoute désormais aux produits afin de prolonger leur durée de conservation ou de les rendre plus attrayants aux yeux des enfants.

Indices d'une allergique aiguë

- Rougeur du visage
- Essoufflement
- Diarrhée
- Prurit dans la bouche ou sur les lèvres
- Éruptions cutanées (n'importe où sur le corps)
- Douleur abdominale (aiguë)
- Enflure des lèvres, des paupières, des oreilles ou de la langue
- Évanouissement
- Rythme cardiaque rapide

Indices d'intolérance alimentaire ou de réaction retardée

- Colique
- Eczéma
- Urticaire
- Maux de tête
- Migraines
- Hyperactivité
- Insomnie
- Ulcères buccaux
- Incontinence d'urine à un âge avancé
- Diarrhée continuelle
- Otite moyenne
- Nez qui coule

Une réaction allergique aiguë ou une réaction retardée?

Il est souvent compliqué d'établir la différence entre une réaction allergique aiguë et une réaction retardée par suite de l'ingestion de certain aliment, et nous attarder sur le sujet fournirait suffisamment de matière pour rédiger un autre ouvrage. Le meilleur moyen de résumer la différence entre ces deux types de réaction consiste à dire qu'une réaction allergique aiguë en est une qui se manifeste brusquement par suite de l'ingestion d'un aliment inoffensif et qu'elle fait appel aux défenseurs du système immunitaire que sont les anticorps IgE, lesquels peuvent enclencher une série de réactions parfois fatales. On parle également d'hypersensibilité immédiate et cette réaction peut survenir à tout âge.

Par contre, les anticorps ne sont pas sollicités lors d'une réaction retardée; ce sont plutôt les lymphocytes T qui passent à l'attaque. Étant donné que ce type de réaction n'a rien d'immédiat, on pense à une intolérance au lactose ou au gluten, on a plus de mal à identifier les aliments qui les provoquent.

Que faire en pareil cas?

Le moyen le plus simple d'identifier les aliments susceptibles de provoquer des réactions retardées consiste à noter tout ce que consomme l'enfant pendant deux ou trois semaines pour tenter de voir quels aliments coïncident avec telles réactions. Il faut parfois remonter de 48 à 72 heures avant l'apparition d'un symptôme car en général les intolérances ne se manifestent pas spontanément. Lorsqu'un aliment semble suspect, écartez-le du régime de l'enfant pendant deux ou trois mois (voire davantage) avant de le réintroduire avec précaution. Ce genre de sevrage apaisera les éléments du système immunitaire qui provoquaient la réaction.

En cas d'urgence

Devant une réaction aiguë, par exemple l'essoufflement, l'enflure des lèvres, des paupières ou de la langue, un vomissement brusque, vérifiez que rien n'obstrue les voies respiratoires et détachez ou retirez tous les vêtements qui seraient ajustés. Conservez votre calme et faites en sorte que l'enfant ne devienne pas surexcité. Conduisez-le sans tarder chez un médecin ou aux urgences.

Lorsque l'aliment qui fait problème est identifié, il faut l'exclure rigoureusement de l'alimentation de l'enfant pendant plusieurs années, parfois à vie. Au départ, vous devrez faire preuve de diligence et déployer beaucoup d'efforts car vous devrez lire les ingrédients de tous les produits et saisir le sous-texte. Heureusement, nombre de produits non allergéniques sont à présent mis en marché.

Palmarès des 10 aliments les plus allergisants

1. lait de vache
2. produits laitiers
3. blé (et autres grains contenant du gluten, p. ex. seigle, orge et avoine)
4. poissons et crustacés
5. agrumes (en particulier les oranges)
6. tomates
7. œufs (jaunes ou blancs)
8. lait de soja et produits connexes
9. noix (essentiellement les arachides)
10. graines de sésame (semblables aux noix)

L'inconvénient des produits laitiers

La chose peut sembler incongrue, que le lait de vache puisse provoquer une réaction retardée chez un enfant alors qu'il n'en était rien du lait maternel, mais cela s'explique par les différentes compositions des deux boissons. Le lait maternel contient une proportion beaucoup plus élevée d'acides gras essentiels que le lait de vache, ce qui est l'une des causes de l'apparition d'une calotte séborrhéique au moment du sevrage.

De plus, toutes les vaches laitières reçoivent désormais des antibiotiques de façon régulière afin de prévenir la mastite et d'autres infections qu'elles pourraient avoir contractées dans les installations de traite ou dans les champs. Sans compter qu'on les trait plus souvent qu'il ne serait normal car on leur donne des hormones afin d'accroître leur production de lait. Par conséquent, il peut être difficile de déterminer la cause d'une réaction chez un enfant mais les symptômes demeurent les mêmes.

Si un aliment ne fait pas à votre enfant, tournez-vous vers des solutions de rechange. La structure moléculaire du lait de chèvre se rapproche davantage de celle du lait maternel et on trouve à présent des laits maternisés préparés à partir de lait de chèvre. Ils contiennent une proportion supérieure d'acides gras essentiels et préviennent donc l'eczéma et autres éruptions cutanées. Vous pouvez également opter pour le lait de soja ou de riz, dont l'usage est répondu dans les pays orientaux, ou encore une préparation lactée à base d'avoine commercialisée sous le nom de Oatly (reportez-vous à la section « Ressources utiles » aux pages 156-157 pour obtenir plus d'information).

Solutions de rechange aux produits laitiers

Produits laitiers	Produits sans lactose
Lait	Lait de soja, d'avoine, de riz, de noix de coco ou d'amandes (ces deux derniers sont très sucrés, aussi il ne faut pas trop en donner à l'enfant car ils contiennent beaucoup plus de matières grasses que les autres)
Yaourt	À base de soja (si l'enfant ne souffre d'aucune allergie aiguë au soja), yofu (yaourt au tofu), yaourt au lait de chèvre ou de brebis (si l'enfant ne fait aucune réaction retardée aux produits laitiers)
Fromages	Fromages végétariens ou à base de soja
Beurre	Olivio (dérivé de l'huile d'olive) et Vitaquell; ne cuisinez qu'à l'huile d'olive car les autres huiles deviennent rances lorsqu'elles sont chauffées
Crème	Crème à base de soja ou crème d'amandes faite d'amandes moulues et d'eau

Nez qui coule et oreilles bouchées

Lorsqu'un enfant a le nez qui coule (les spécialistes parlent de rhinite chronique) ou les oreilles bouchées (otite moyenne), les responsables sont souvent les produits laitiers. Lorsque de telles inflammations sont chroniques, l'enfant reçoit des doses successives d'antibiotiques, qui font peu afin de supprimer les symptômes de façon permanente, puisque le mal tire son origine d'un aliment et non d'une infection. Si votre enfant souffre d'une otite séreuse et qu'on vous conseille de lui installer des drains transtympaniques, faites-lui faire un régime exempt de produits laitiers pendant au moins trois semaines afin de voir si les symptômes se résorberont avant de lui infliger le traumatisme d'une telle intervention. Souvent, les symptômes disparaissent presque sur-le-champ; sinon, d'autres facteurs peuvent être responsables. Il s'agit d'un test de dépistage facile à administrer que votre enfant accueillera favorablement s'il souffre régulièrement de maux d'oreilles.

Il faut voir dans un nez qui coule sans cesse le symptôme classique d'une réaction alimentaire retardée, en général provoquée par des produits laitiers. Supprimez ces derniers (ou tout autre aliment qu'il consomme souvent) du régime de l'enfant pendant au moins trois semaines afin de voir s'ils sont ou non à l'origine du problème.

Pourquoi l'enfant est-il mal dans sa peau?

Les enfants souffrent souvent d'irritations cutanées, qu'il s'agisse de plaques de peau sèche dans les cas bénins ou d'eczéma dans les pires cas. Cette dernière affection peut être très désagréable pour un nouveau-né qui risque de se gratter jusqu'à saigner. On a découvert que certaines allergies alimentaires aiguës peuvent être à l'origine de cette affection. On conseille alors aux parents de consulter un expert-conseil en nutrition ou un praticien de la santé afin de déceler les aliments qui peuvent en être la cause et de se tourner vers des solutions de rechange pour faire en sorte que leurs enfants ne soient pas privés d'éléments nutritifs essentiels au cours de leur poussée de croissance.

Les inconvénients du blé

On a beaucoup écrit à propos du blé, cette céréale omniprésente dans l'alimentation qui devrait apporter à votre enfant quantité d'éléments nutritifs essentiels. Toutefois, au cours des deux dernières décennies, le raffinage du blé est devenu une industrie en soi qui élimine de cette céréale entre 70 et 80 pour cent de ses éléments nutritifs essentiels. On trouve à présent de la farine de blé dans pratiquement tous les pains, gâteaux, céréales du petit déjeuner, biscuits, gâteries au chocolat et pâtes, sans compter

Palmarès des 5 pires allergènes potentiels

1. Produits laitiers (vache, chèvre et brebis)
2. Agrumes
3. Figues et crustacés
4. Œufs
5. Noix

de nombreux desserts. Bon nombre de livres de cuisine comportent des recettes à l'intention de ceux qui sont allergiques au blé ou au gluten (maladie cœliaque). Parmi les symptômes d'une sensibilité au gluten, notons les affections cutanées, les oreilles bouchées, le nez congestionné, la fatigue ou la somnolence prononcée après un repas.

Gluten, êtres sensibles s'abstenir

Le gluten est l'élément porteur de protéines de quatre grandes céréales, à savoir le blé, l'avoine, le seigle et l'orge (bien que la teneur en gluten de l'avoine est de beaucoup inférieure à celle des trois autres). Il a tendance à former dans le tractus digestif une substance ayant la consistance de la colle, laquelle peut gêner l'absorption des éléments nutritifs chez un jeune enfant. On parle également de maladie cœliaque pour désigner la sensibilité au gluten. Si votre enfant souffre d'une diarrhée permanente, s'il ne prend jamais de poids et s'il a régulièrement mal à l'estomac, vous devriez le conduire chez un médecin ou un spécialiste afin de déterminer s'il est allergique au gluten. Bien qu'elle soit rare, la maladie cœliaque est désormais reconnue comme une maladie de la petite enfance et il importe de la déceler rapidement car elle peut avoir une incidence sur la santé d'un enfant sa vie durant.

Conseil

Supprimer TOUTES les céréales de l'alimentation pendant deux ou trois semaines permettra de voir si elles sont ou non responsables des troubles de digestion de votre enfant.

À propos des noix

En général, les allergies aiguës aux noix sont très rares mais la plupart des écoles les écartent désormais de l'alimentation des enfants car ce type d'allergie (dite anaphylaxie ou choc toxique) peut constituer un danger de mort. Le taux très élevé d'histamines sécrétées en réaction à une allergie aux noix peut rendre un enfant semi-conscient ou inconscient en quelques minutes, voire l'empêcher de respirer. On croit savoir que la réaction allergique aiguë est provoquée par une moisissure présente dans les noix et en particulier dans les arachides.

Si un membre de votre famille souffre d'une allergie aiguë aux noix, vous ne devriez pas en consommer pendant la grossesse et vous devriez subir un test de tolérance avant d'allaiter. Si un enfant de votre famille souffre d'une grave allergie aux noix, vous ne devriez pas en tenir à la maison car les spores des moisissures présents dans l'air ambiant peuvent affecter un enfant sensible.

Solutions de rechange au blé

Grains	Sarrasin (appartient à la famille de la rhubarbe, non pas à celle du blé), seigle, avoine, millet, maïs, orge, riz
Pâtes	Pâtes de maïs, de sarrasin ou d'orge, nouilles au riz
Céréales	Porridge d'avoine, muesli fait de flocons de millet et d'orge avec céréales d'avoine, flocons de maïs et riz soufflé
Pains	Pains au bicarbonate de soude et au seigle, pumpernickel, gâteaux de riz, gâteaux d'avoine et pains exempts de gluten (préparés sur ordonnance pour les personnes souffrant d'une maladie cœliaque)
Farines à pâtisserie	Farines de seigle, d'orge, de sarrasin (pour faire les crêpes), farine de soja, farine de maïs et farines exemptes de blé (reportez-vous à « Ressources » aux pages 156-157).

Le lien avec le sésame

Les graines de sésame, contrairement à celles de tournesol, de citrouille et de lin, sont semblables aux noix et tous les enfants souffrant d'une allergie aiguë à ces dernières doivent éviter d'en consommer. On emploie souvent des graines de sésame pour aromatiser des plats orientaux; aussi, lisez attentivement la liste des ingrédients des plats précuisinés.

Savoir reconnaître les indices de l'hyperactivité

Certains enfants réagissent plus que d'autres aux additifs, colorants, sucres et édulcorants présents dans les aliments. Si votre enfant montre des signes d'un comportement emporté, s'il a peine à se concentrer, s'il a des sautes d'humeur ou des accès de colère, s'il donne des coups de pieds, s'il mord ou s'il arbore un comportement destructeur, il se peut qu'il soit atteint d'hyperactivité. Le degré selon lequel se manifestent ces sensibilités peut varier du tout au tout et vous devez bien saisir les fondements du problème de votre enfant.

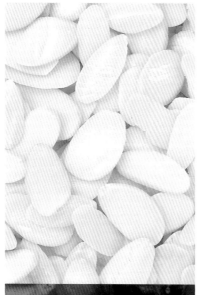

Le traitement orthodoxe fait appel à plusieurs médicaments reconnus qui peuvent apaiser et calmer les plus hyperactifs mais il s'agit de substances chimiques qui ne peuvent qu'atténuer les symptômes du problème plutôt qu'en éradiquer la cause première. Il est préférable de chercher à obtenir avant tout un diagnostic médical, à quoi on peut coupler des tests de dépistage d'allergies en vue de déceler les aliments et les toxines susceptibles d'importuner votre enfant.

La formule de Feingold

Le Dr Ben Feingold a pratiqué la naturopathie pendant de nombreuses années, laquelle s'appuie sur le principe voulant que l'organisme soit en mesure de se rétablir pour peu qu'on lui apporte les éléments nécessaires. Il a découvert que les enfants parmi les plus hyperactifs sont sensibles aux substances chimiques, aux colorants et aux additifs

Aliments riches en salicylate

Il faut déterminer les aliments qui provoquent une faim tyrannique chez votre enfant, ceux qu'il consomme en quantité, car il est probable qu'ils sont à l'origine du problème. Les deux irritants les plus probables sont les boissons et les collations à saveur de tomate et d'orange.

Oranges	Tomates	Raisins	Prunes
Amandes	Cerises	Nectarines	Poivrons
Pommes	Canneberges	Tangerines	Pruneaux
Abricots	Concombres	Pêches	Raisins secs

On remarquera que la plupart des aliments de cette liste sont des fruits séchés (qui ont une forte concentration de sucre) ainsi que des fruits de couleur orange.

alimentaires, ainsi qu'à un groupe de produits chimiques que l'on trouve à l'état naturel, les salicylates, présents dans les aliments apparemment sains. Ils ont des propriétés semblables à celles de l'aspirine qui provoquent des réactions chez les enfants (et les adultes) qui y sont particulièrement sensibles. On les trouve dans les aliments figurant à la liste reproduite en page 70.

L'orange de la tartrazine

La tartrazine est le colorant orange que l'on trouve le plus souvent dans les aliments et les boissons destinés aux enfants. Ce produit chimique fut inventé dans les années 1960 afin d'ajouter une teinte orangée aux colas, aux garnitures de chocolat, aux glaces et aux gelées. Il s'agit peut-être de l'additif chimique qui provoque le plus de réactions allergiques et son innocuité est présentement mise en doute aux États-Unis où les autorités envisagent d'en interdire l'usage dans tous les produits alimentaires.

Lisez attentivement les ingrédients de tous les aliments préparés que vous servez à votre enfant. La tartrazine et les autres colorants paraissent souvent en fin de liste et vous risquez de ne pas les voir. Méfiez-vous des colas, des boissons à base d'agrumes et des desserts d'un orange vif qui pourraient contenir ce produit chimique.

Le rôle des acides gras essentiels

De nombreux enfants souffrant d'hyperactivité avec déficit de l'attention manquent d'acides gras essentiels, en particulier ceux du groupe oméga-3. Les acides gras essentiels occupent une place prépondérante dans la couche extérieure des cellules nerveuses et cervicales qui se transmettent renseignements et réactions. Une carence de ces acides gras peut se traduire par une communication incomplète ou hyperactive entre les cellules, laquelle peut provoquer un comportement aberrant chez l'enfant. On trouve principalement les acides gras essentiels dans les poissons gras (tels que les sardines, le saumon, le thon, le hareng et le maquereau); vous devez donc vous assurer que votre enfant consomme de ces poissons. S'il n'en mange pas suffisamment ou s'il est végétarien, vous devrez peut-être pallier les carences de son alimentation par des capsules d'extrait de graines de lin, dont la concentration en acides gras essentiels du groupe oméga-3 est supérieure à celle des autres graines.

Dans tous les cas, vous devriez discuter du régime ou des sensibilités alimentaires de votre enfant avec un diététiste ou un spécialiste des allergies qui saura vous recommander une diète équilibrée, conçue en vue de minimiser le risque d'une carence vitaminique.

SECTION 2
Aliments pour le développement du corps et de l'esprit

Éléments nutritifs utiles au développement

Vitamines B
Bêta-carotène
Calcium
Acides gras essentiels
Sélénium
Vitamine A
Vitamine K
Zinc

Le développement d'un enfant au cours des six premiers mois de son existence est pure merveille à voir. Manger et dormir semblent en apparence ses deux seules activités mais, au plus secret de son être, tous les systèmes s'activent aux rythmes étonnants qui étaient les leurs avant la naissance. La régularité de son alimentation assurera le développement optimal de son corps et de son cerveau, la croissance et le développement étant des activités de chaque instant.

0-6

De la naissance à six mois

Stades de développement

Les six premiers mois de la vie d'un enfant sont ceux de sa phase de croissance la plus rapide, si l'on exclut les mois passés dans le sein maternel, comme en témoignent les changements perceptibles qui surviennent presque chaque jour. Alors que le lait maternel nourrit l'enfant et protège son système immunitaire, son corps s'adapte au monde extérieur à mesure que ses membres se déploient en réaction à chaque nouveau stimulus.

Voici une période où l'instinct maternel protège l'enfant de toutes les difficultés observables malgré que le corps du nouveau-né frétille devant chaque première expérience, à la recherche de nouvelles informations.

Les nourritures de l'esprit

Les 16 premières semaines de l'existence sont d'une importance décisive pour le développement des tissus cervicaux. À la naissance, le cerveau pèse environ 25 pour cent de ce que sera son poids à l'âge adulte. (La proportion entre le corps et la tête à la naissance est de 1 : 4 alors qu'elle atteint 1 : 8 à l'âge adulte.) À ce stade, les principaux éléments nutritifs nécessaires au cerveau sont les acides gras essentiels (que l'on trouve principalement dans le lait maternel et qui sont dérivés de la consommation qu'a fait la mère des acides gras oméga-3 présents dans les poissons et des acides gras oméga-6 présents dans les noix, les graines, les huiles et les céréales complètes). Lorsque l'alimentation de la mère ne fournit pas ces éléments essentiels, elle les tire de ses réserves. Voilà pourquoi bon nombre de femmes ont la peau sèche et perdent leurs cheveux au cours des premiers mois de l'allaitement; leurs propres réserves de matières grasses s'épuisent, de sorte qu'elles en ont moins à leur disposition.

Les acides gras essentiels sont nécessaires au développement du cerveau et du système nerveux et, s'il importe d'en fournir à votre enfant pendant toute sa croissance, cela s'impose plus encore à cette étape car les cellules nerveuses se développent à un rythme rapide. Il ne suffit pas d'apporter à un enfant les stimuli extérieurs que sont les bruits, la vue et le goûter; la croissance doit également s'opérer de l'intérieur. Les acides gras essentiels tiennent également bébé au chaud, le gras comptant pour près de 25 pour cent de son poids, ils aident à réguler la température de son corps.

Si la mère ne peut allaiter son enfant, elle doit s'assurer de choisir la préparation lactée qui lui convient le mieux (reportez-vous à « Du sein au biberon » aux pages 12 à 15).

Délicate ossature

Nous savons tous que le calcium est l'un des minéraux les plus importants à la formation des tissus osseux et des ligaments, en particulier chez les enfants, et que la dose quotidienne recommandée entre la naissance et l'âge de six mois est de 400 mg. À cet âge, le lait maternel et le lait maternisé sont les principales sources de calcium. Plutôt que de mouvements, on parle de stéréotype rythmique car le corps cherche à améliorer sa maîtrise motrice (l'enfant cherche le sein, ouvre ses mains, toutes actions tenant des réflexes moteurs).

Le souffle de vie

Le tractus respiratoire d'un nouveau-né est sous-développé, ses possibilités limitées; aussi faut-il s'assurer que rien ne fait obstacle à la respiration, que l'enfant soit éveillé ou endormi. Si votre enfant a du mal à respirer, consultez sans tarder un médecin praticien pour vérifier que rien n'entrave ses voies respiratoires. Voyez également ce que vous, la mère, consommez car certaines sensibilités alimentaires peuvent être transmises par le lait maternel et provoquer l'inflammation des voies respiratoires ou la formation excessive de mucus qui congestionne l'enfant (reportez-vous à « Allergies et intolérances » aux pages 64 à 69). Si la mère ne tolère pas certains aliments, elle peut transmettre ses sensibilités au nourrisson à qui elle donne le sein. Elle doit alors consulter un diététiste ou un autre praticien dûment qualifié afin d'identifier les aliments responsables de cet inconvénient.

Réaction viscérale

Le tractus digestif d'un nouveau-né est stérile, ce qui explique pourquoi tous les bébés reçoivent une injection de vitamine K essentielle à la coagulation du sang. La consommation de chou et de chou-fleur permet d'accroître le taux sanguin de vitamine K chez la mère.

Toute réaction que peut faire un bébé de cet âge à un aliment peut être grave parce que son organisme dispose de peu de bactéries utiles et protectrices et que son système digestif n'est pas parvenu à maturité. Il importe donc que la mère consomme quantité d'aliments frais et crus afin de transmettre à son enfant un large éventail d'éléments nutritifs. À consommer beaucoup de café, de thé et d'autres stimulants, elle risque que son enfant devienne nerveux et agité, et qu'il souffre de diarrhée et de colique.

Il faut attendre l'âge de cinq à six mois pour que s'installe le réflexe qui pousse un enfant à sucer et à mâchouiller, et c'est l'une des raisons pour lesquelles il fait éviter de le sevrer trop rapidement. À l'âge de six mois, un enfant est capable de garder des aliments en bouche, d'avaler et de cracher.

Immunité maximale

Dès la naissance, un enfant est exposé à une myriade de bactéries et d'autres sources de danger. Le système immunitaire est une chose complexe dont le développement repose sur la présence de plusieurs

Indices d'une carence d'acides gras essentiels

Plusieurs symptômes peuvent révéler une carence d'acides gras dans l'alimentation d'un enfant, entre autres :

- mauvaise pousse des cheveux
- sécheresse du cuir chevelu (calotte séborrhéïque)
- peau crevassée aux talons et aux coudes
- peau squameuse sur le visage et le cou
- rougeurs ou démangeaisons sur une région du corps

éléments nutritifs. Étant donné qu'une forte proportion du système immunitaire se trouve dans le tractus digestif, il faut vous assurer que tout ce qui passe par la bouche de l'enfant au cours des premiers mois est dûment stérilisé afin de prévenir les infections inutiles. Au départ, les éléments nutritifs se trouvent principalement dans le colostrum (le premier lait d'une accouchée) et, par la suite, dans le lait maternel ou les préparations lactées. Pour cette raison, il importe d'observer les indications du fabricant lorsque vous préparez du lait maternisé. Évitez de le diluer au-delà de la proportion recommandée.

Bon pied, bon œil

C'est une idée erronée bien que répandue que de croire qu'un bébé est incapable de voir ou de concentrer son regard sur un objet, et qu'il voit tout en noir et blanc. En fait, dès l'âge de trois mois son regard peut se porter sur les objets et distinguer les couleurs aussi bien qu'un adulte, même s'il ne reconnaît pas nécessairement ce qu'il voit.

La vitamine A (le rétinol) et son précurseur, le bêta-carotène, sont essentiels à une bonne vue; tous les fruits et légumes rouges, orange et jaunes en contiennent de fortes quantités. La mère a intérêt à en consommer si elle souhaite améliorer la vue de son enfant.

Conseil

Apaisez les fringales de votre enfant en le nourrissant avec régularité. À ce stade, les pleurs sont signes de faim ou de fatigue. Il est facile d'y remédier!

Le sevrage : mode d'emploi

Le rythme de croissance peut varier grandement selon les enfants et chaque mère doit être en mesure de déterminer le moment où elle doit sevrer son petit. Un moment vient où le lait seul ne lui suffit plus et il faut l'alimenter autrement.

Raisons du sevrage

- Sommeil agité et interrompu
- Insatisfaction devant le sein ou le biberon
- Retour au travail de la mère
- Épuisement ou insuffisance de lait maternel
- La mère n'aime pas allaiter
- Somnolence excessive de l'enfant

Des tas de choses ont été écrites concernant le moment le plus indiqué pour sevrer un nourrisson et cela peut semer la confusion dans l'esprit de plusieurs mères. En règle générale, l'enfant laisse voir qu'il souhaite consommer autre chose que du lait. Faites confiance à votre instinct, voyez les changements qui s'opèrent dans ses habitudes alimentaires, la manière dont il annonce qu'il a faim, son degré d'énergie ou de léthargie. Si votre enfant est agité et semble insatisfait, même après avoir eu le sein, sa faim n'est peut-être pas apaisée et il faut songer à lui présenter ses premiers aliments solides.

Afin de décider si le moment est venu de sevrer votre enfant et de jauger s'il est nourri selon sa faim, consultez le tableau suivant sur la fréquence des boires.

Manière et raisons de sevrer un enfant

- Choisissez un moment où peu de distractions peuvent retenir votre attention et celle du petit.
- Présentez-lui une seule céréale en premier lieu. Vous pouvez l'allonger de lait maternel ou de lait maternisé, de telle sorte que sa consistance soit à peine plus épaisse que celle du lait. Donnez-lui-en une ou deux cuillerées à la fois.
- Employez toujours une cuiller pour nourrir l'enfant, même lorsque vous lui donnez des céréales allongées de lait. Lui présenter un biberon irait à l'encontre de l'objectif voulu, sans compter que l'enfant risquerait de s'étouffer s'il ingurgitait trop d'aliments à la fois.
- Ne vous laissez pas décourager si l'enfant repousse d'abord la cuiller et les céréales. Vous les lui présenterez de nouveau à un autre moment, de manière calme et détendue.
- Faites suivre les céréales de purées de fruits, par exemple des pommes et des poires (qui font d'excellents fruits à offrir en premier lieu), et de légumes (reportez-vous à « Ses premiers aliments solides » aux pages 90 et 91).
- Présentez-lui seulement un nouvel aliment à la fois (sans le mélanger à autre chose) tous les trois ou quatre jours; ainsi, vous pourrez discerner les intolérances, le cas échéant.
- Prenez le temps nécessaire et n'abandonnez pas. Il s'agit d'un processus d'apprentissage tant pour la mère que l'enfant.

Fréquence entre les boires

Si vous nourrissez votre enfant avec des préparations lactées, suivez les indications du fabricant et n'y modifiez rien sans le conseil d'un praticien de la santé.

Préparation à base de lait de vache

Âge (semaines, mois)	Poids (en kg)	(en lb/oz)	Nb de boires par jour	Eau bouillie refroidie (en ml)	(en lb/oz)	Nb de cuillerées de poudre
jusqu'à 2 semaines	3,5	7,7	6	85	2,8	3
2 à 4 semaines	3,9	8,6	5	115	3,8	4
4 à 8 semaines	4,7	10,3	5	140	4,7	5
8 à 12 semaines	5,4	11,9	5	170	5,7	6
3 à 4 mois	6,2	13,6	5	170	5,7	6
4 à 5 mois	6,9	15,2	5	200	6,7	7
5 à 6 mois	7,6	16,7	5	200	6,7	7

Lait de chèvre

Âge (mois)	Poids moyen (en kg)	(en lb/oz)	Nb de boires par jour	Eau bouillie refroidie (en ml)	(en lb/oz)	Nb de cuillerées de poudre
0 à 1	jusqu'à 4	8,8	6	90	3	3
1 à 2	4 à 5	8,8 à 11	5	150	5	5
3 à 5	6 à 7	13,2 à 15,4	5	210	7	7

Préparation lactée SMA

Age (weeks/months)	Poids (en kg)	(en lb/oz)	Nb de boires par jour	Eau bouillie refroidie (en ml)	(en lb/oz)	Nb de cuillerées de poudre
naissance	3,5	7,7	6	85	2,8	3
2 semaines	4	8,8	6	115	3,8	4
2 mois	5	11	5	170	5,7	6
4 mois	6,5	14,3	5	200	6,7	7
6 mois	7,5	16,5	4	225	7,6	8

Précautions lorsque vous faites réchauffer les aliments

- Prenez garde lorsque vous réchauffez ses aliments au micro-ondes, qui peut laisser des foyers de chaleur trop intenses pour l'enfant. Remuez les aliments après les avoir fait réchauffer et vérifiez toujours leur degré de chaleur en en déposant une petite quantité sur votre lèvre inférieure. Ils doivent être chauds sans brûler.

- Servez toujours les aliments dans une petite assiette pour éviter de contaminer la portion qui reste dans le bocal.

Problèmes et solutions

Les principaux ennuis qui surviennent à cet âge s'articulent autour des besoins de l'enfant qui changent avec son alimentation. Ces changements s'effectuent à un rythme enlevant car nous assistons alors à l'une des poussées de croissance les plus rapides qu'il connaîtra. Satisfaire ses besoins quotidiens pourra s'avérer une source de frustration et d'épuisement car vous voudrez susciter de la joie et de l'intérêt envers les premiers aliments mais les choses se compliquent parfois.

Le rythme de croissance de votre bébé dictera inévitablement ses besoins. Plus ses aliments sont variés au moment du sevrage, mieux cela vaut. Certains enfants sont plus capricieux que d'autres et on a du mal à les intéresser à des saveurs qu'ils ne connaissent pas. Il importe alors de conserver son calme et de susciter leur intérêt pour faire des repas des moments agréables. Il faut également éviter de présenter à l'enfant un nouvel aliment ou une nouvelle boisson avant l'heure du dodo car cela risquerait de perturber la structure de son sommeil.

Rejet de certains aliments

Certaines carences nutritives deviennent perceptibles en bas âge, en particulier lorsque le poids de l'enfant est inférieur à la norme et qu'il semble mécontent lors des repas. On surveille étroitement les enfants dont le poids est insuffisant, notamment pour vérifier que rien n'entrave l'absorption au niveau du tractus digestif. Il appert parfois que tous les aliments sont rejetés. Si cela se manifeste de façon inquiétante, par exemple si le bébé souffre de vomissements ou de diarrhée chronique, vous pourriez craindre un trouble digestif et vous empresser de consulter un médecin.

Cependant, si bébé semble seulement capricieux lorsque vous lui présentez de nouveaux aliments et qu'il ne montre aucun des effets secondaires décrits précédemment, faites preuve de plus de patience et laissez-lui le temps de regarder et de flairer les aliments avant de les manger.

À cet âge, la transition entre le sein et le lait maternisé, ou entre une préparation lactée et les premières purées peut donner lieu à des réactions apparentes, par exemple l'apparition d'une calotte séborrhéique, d'éruptions cutanées, d'irritations ou de rougeurs sur le corps. Si une calotte séborrhéique trahit une carence d'acides gras essentiels, les éruptions cutanées et les irritations sont davantage les indices d'une sensibilité légère ou modérée envers certains aliments.

Les produits laitiers se trouvent en bonne position au palmarès des aliments allergéniques; aussi, devez-vous y prendre garde lorsque vous sevrez l'enfant. Ces produits sont associés à des infections des voies respiratoires, à l'otite moyenne et à de nombreux troubles cutanés.

Remèdes proposés

Problèmes	Solutions
Calotte séborrhéïque	Assurez-vous qu'aucun produit laitier et qu'aucun agrume ne figure au menu de l'enfant. Accroissez sa consommation d'acides gras essentiels en lui donnant suffisamment de lait maternel ou maternisé et réduisez la quantité de purées à base aqueuse jusqu'à la disparition du problème.
Peau sèche sur le visage ou le corps	Voici le symptôme classique d'une carence d'acides gras essentiels dans le lait maternel ou maternisé. Si la sécheresse se manifeste seulement après que vous lui avez présenté ses premiers aliments solides, préparez quelques purées avec du lait maternisé (celui à base de lait de chèvre contient le plus d'acides gras essentiels) pour faire en sorte qu'elles contiennent des acides gras en quantité suffisante.
Érythème sur le siège, les bras ou les jambes	Voilà le premier indice d'une sensibilité alimentaire; il faut alors supprimer de l'alimentation tous les nouveaux aliments et les introduire de nouveau un à un lorsque la peau a retrouvé son apparence saine. Évitez de lui donner des tomates à un trop jeune âge car ces fruits sont très acides.
Coliques ou crampes d'estomac	Elles peuvent indiquer une sensibilité alimentaire ou la présence d'un aliment trop acide. Certains nourrissons ne tolèrent pas la banane dont le contenu trop riche ne convient pas à un tractus digestif sous-développé. L'eau de riz fait un excellent antidote à la colique. Si le problème survient après que vous avez introduit une nouvelle préparation lactée, vous pourriez faire l'essai d'une autre marque et ne pas lui donner ses premières purées avant que le problème ait disparu.
Insomnie ou agitation	Certains aliments sont plus stimulants alors que d'autres sont plus calmants. Les bananes contiennent une protéine – le tryptophane – qui favorise la relaxation et le sommeil profond chez les bébés agités. Vous pourriez préparer une purée de banane avec du lait maternel ou maternisé et en donner à bébé avant de le mettre au lit pour l'aider à dormir plus longtemps.
Constipation	Le moindre changement au niveau du transit intestinal offre une bonne indication d'inadaptation à un nouvel aliment. Les nouveau-nés peuvent faire une selle plusieurs fois par jour mais il n'y a pas lieu de s'inquiéter s'ils en font moins souvent; par contre, il faut traiter la constipation dès le départ pour éviter que la situation empire. Si votre enfant est constipé sans raison apparente, assurez-vous qu'il consomme suffisamment de liquide. La constipation peut être provoquée par une transition trop rapide aux premiers aliments ou par une trop brusque réduction du lait maternel ou maternisé.
Diarrhée	Il y a ici un danger éventuel car les nouveau-nés peuvent très vite se déshydrater, ce qui impose alors un stress considérable à leurs reins. Assurez-vous que votre enfant ne dort pas dans une pièce surchauffée et qu'il reçoit des liquides toutes les deux ou trois heures jusqu'à l'âge de sept à neuf mois, sauf la nuit. Si vous voyagez avec un bébé, consultez un médecin pour éviter ce genre d'ennui. Parfumez l'eau de l'enfant d'une petite quantité de jus de fruit (autre que des agrumes) afin de maximiser l'absorption des liquides.

Il en est de même des produits à base de blé (dont les céréales) car ils favorisent la formation de mucus et peuvent irriter les délicates parois de l'intestin d'un bébé. S'il est plus commode à court terme de recourir aux produits alimentaires du commerce, il est préférable d'éviter d'en nourrir l'enfant pendant ses 12 premiers mois pour lui éviter toute réaction d'intolérance.

Planification des repas

Une fois que vous saisissez bien les principes du sevrage, il n'est pas inutile de connaître les aliments qu'il faut introduire dans l'alimentation de bébé. Afin de prévenir toute intolérance alimentaire, il faut éviter dans les premiers temps de lui faire goûter certains aliments.

Premiers aliments de bébé

Bon nombre d'aliments conviennent au nourrisson que l'on vient de sevrer. En voici quelques-uns :

- Pommes
- Poires
- Papayes
- Bananes
- Avocats
- Brocoli
- Carottes
- Pommes de terre
- Patates douces
- Courges ou citrouille
- Riz brun ou pour bébé

Tous ces fruits et légumes peuvent être cuits et réduits en une purée lisse. La chose a son importance car un nouveau-né risque de s'étouffer si ses aliments sont grumeleux. La liste comporte également les légumes les plus sucrés qui soient, riches sources de glucides qui se transforment en énergie et de vitamines qui veillent à la protection immunitaire.

Retour aux sources

Vous ne devez servir à votre enfant que des fruits et légumes frais que vous devez peler afin de réduire leur teneur en pesticides et autres produits chimiques qu'ils pourraient contenir. Lorsque faire se peut, choisissez des produits de culture biologique pour cette raison. Ne faites cuire que la quantité nécessaire à un ou deux repas. On déconseille de faire cuire de grandes quantités d'aliments pour ensuite les mettre à congeler dans des bacs à glaçons avant de connaître les goûts du poupon.

Le point de départ idéal consiste en plusieurs légumes et en quelques fruits auxquels vous mélangerez du riz pour bébé. Reportez-vous à la section des recettes portant sur les premiers aliments (aux pages 130 à 133) pour connaître nos suggestions, le temps de cuisson et faites vos propres préparations. Un minimum d'appareils de cuisine, notamment un robot culinaire, vous simplifiera la tâche et vous permettra de faire des associations alimentaires que vous auriez du mal sinon à réduire en purée. Il faut veiller à stériliser comme il se doit tous les plateaux et ustensiles afin d'écarter toute possibilité d'infection bactérienne. À ce stade, on déconseille d'employer des ustensiles vieux ou recyclés.

Le lait

Si vous allaitez, vous pourriez nourrir l'enfant à sa demande, soit jusqu'à huit ou neuf reprises au cours d'une journée. Il est conseillé de lui présenter tour à tour les deux seins à chaque séance pour vous assurer qu'il profite du contenu nutritionnel de votre lait. Une bonne part des matières grasses essentielles présentes dans le lait maternel est transmise au début de chaque boire; l'enfant en reçoit donc davantage lorsqu'on lui offre les deux seins.

Si vous lui offrez du lait maternisé, suivez les indications du fabricant et ne modifiez en rien la préparation sans prendre les conseils d'un médecin. Les proportions ont été quantifiées afin d'offrir aux nourrissons une quantité optimale d'éléments nutritifs (reportez-vous à « Le sevrage : mode d'emploi » aux pages 80 et 81). Si l'enfant semble souffrir de coliques ou de reflux gastrique, voire s'il vomit en jet, il se peut que la préparation lactée ne lui convienne pas. Consultez un diététiste ou un autre praticien de la santé avant de lui donner une autre préparation lactée.

Tableau hebdomadaire des premiers aliments et purées

Un nourrisson peut goûter ses premiers aliments dès l'âge de quatre mois, à l'exception des gros bébés qui peuvent y avoir droit une ou deux semaines plus tôt. Reportez-vous à « Ses premiers aliments » aux pages 130 à 133 pour obtenir des suggestions et des recettes de premières purées.

PREMIÈRE SEMAINE

6 h à 7 h	sein ou biberon
9 h à 10 h	sein ou biberon
13 h 30 à 14 h	sein ou biberon
15 h à 16 h 30	eau ou jus de pomme dilué : 150 ml (5 oz)
17 h 30 à 18 h 30	sein ou biberon

DEUXIÈME SEMAINE

6 h à 7 h	sein ou biberon
9 h à 10 h	sein ou biberon et 1 ou 2 c. à t. de purée de pommes
13 h 30 à 14 h	sein ou biberon
15 h à 16 h 30	eau ou jus de pomme ou de poires dilué : 150 ml (5 oz)
17 h 30 à 18 h 30	sein ou biberon et 3 c. à t. de riz

TROISIÈME SEMAINE

6 h à 7 h	sein ou biberon
9 h à 10 h	sein ou biberon et 3 ou 4 c. à t. de purée de pommes ou de poires
13 h 30 à 14 h	sein ou biberon et 1 ou 2 c. à t. de purée d'un légume-racine
15 h à 16 h 30	eau ou jus de fruit
17 h 30 à 18 h 30	biberon, 4 c. à t. de riz et 2 c. à t. de purée de fruit

QUATRIÈME SEMAINE

6 h à 7 h	sein ou biberon
9 h à 10 h	sein ou biberon et 5 à 7 c. à t. de purée de fruit
13 h 30 à 14 h	sein ou biberon et 3 à 5 c. à t. de purée d'un légume-racine
15 h à 16 h 30	eau ou jus de fruit et 2 c. à t. de purée de banane
17 h 30 à 18 h 30	biberon, 4 c. à t. de riz et 4 c. à t. de purée de fruit

À compter de la cinquième semaine, vous pouvez lui donner autant de fruits et de légumes qu'il en réclame car il aura désormais le goût d'en manger davantage. Ne l'obligez pas à goûter de nouvelles saveurs sans lui permettre de les humer (n'oubliez jamais que la vue et l'odorat lancent la digestion). Vous pourriez lui donner à manger à six reprises au cours d'une journée, en comptant le biberon ou le sein avant le coucher, car son appétit s'aiguise et vous voulez lui enseigner à dormir pendant toute la nuit.

CINQUIÈME SEMAINE

6 h à 7 h	purée de fruit avec riz
9 h à 10 h	sein ou biberon
13 h 30 à 14 h	purée de légumes-racines
15 h à 16 h 30	sein ou biberon
17 h 30 à 18 h 30	purée de fruits
coucher	sein ou biberon

SIXIÈME SEMAINE

6 h à 7 h	purée de fruits
9 h à 10 h	sein ou biberon et banane
13 h 30 à 14 h	purée de pommes de terre et de légumes verts
15 h à 16 h 30	sein ou biberon
17 h 30 à 18 h 30	purée de légumes
coucher	sein ou biberon

Ce régime devrait convenir jusqu'à l'âge de six mois, après quoi vous vous reporterez à la prochaine section de l'ouvrage. Dans le cas contraire, répétez le régime des cinquième et sixième semaines, le cas échéant, en ajoutant de nouveaux fruits ou légumes tous les cinq ou six jours afin de surveiller étroitement l'apparition de réactions d'intolérance. Si l'enfant goûte ses premiers aliments à un stade plus avancé, ne précipitez pas la prochaine étape avant de lui avoir présenté ces premiers fruits et légumes, car ce sont les plus indiqués à son âge, exception faite du lait maternel ou du lait maternisé.

Éléments nutritifs utiles au développement

Vitamines B
(en particulier les B1,
B3 et B6)
Bore
Calcium
Matières grasses essentielles
Magnésium
Manganèse
Vitamine C
Vitamine D

Votre bébé devient un être actif et ses sens de la vue, du toucher, de l'odorat et du goût s'aiguisent. C'est au cours de ce stade qu'on lui présente ses premiers aliments et qu'un plus large éventail d'éléments nutritifs est nécessaire au développement du squelette afin que l'enfant puisse s'asseoir, ramper, se tenir debout et marcher. Introduire de nouveaux aliments à ses menus permet d'affiner ses fonctions digestives.

7-18

De sept à dix-huit mois

Stades de développement

Le corps humain croît plus rapidement au cours de ses deux premières années qu'à tout autre moment après la naissance. C'est au cours de cette période que s'élaborent les fonctions nerveuses et cognitives, c.-à-d. le cerveau, la vue, l'ouïe et l'odorat, en plus de la coordination et de la parole. Presque toutes les cellules cervicales de cette zone du cerveau que l'on appelle le cerebrum, qui gouverne ces fonctions, ont atteint leur maturité vers l'âge de 18 mois, bien que les éléments qui régissent le mouvement et la posture (le cervelet et le tronc cérébral) ne soient développés qu'à 60 pour cent au moment où un enfant parvient à contrôler l'équilibre nécessaire à la position debout et à la marche.

Talkie-walkie

Il s'agit d'une période importante en ce qui concerne le développement des muscles et du squelette car le jeune enfant, dès lors qu'il parvient à se soutenir seul, cherche ensuite à ramper pour éventuellement se tenir droit et marcher sans aide. À huit mois, les enfants ont la force musculaire pour s'asseoir et leur courbe lombaire se dessine. Il faut donc élargir considérablement l'éventail des aliments qu'on leur donne afin de répondre aux besoins grandissants nés de cette phase de croissance rapide.

À cette même période, la croissance des dents s'intensifie; celles-ci nécessitent les mêmes éléments nutritifs que les os. Une piètre croissance des dents est un indice de problèmes liés à la digestion ou à l'absorption, ou encore le propre d'un enfant qui ne reçoit pas suffisamment d'aliments durs dans lesquels il puisse se faire les dents, au sens propre.

C'est également au cours de cette période que la vue d'un enfant devient semblable à celle d'un adulte et qu'il est désormais en mesure de distinguer la profondeur de champ, les couleurs et les menus détails qui s'offrent à la vue.

Le pouvoir des protéines

L'appétit d'un enfant dont le rythme de croissance s'accélère grandit considérablement, en lui naissent de nouvelles exigences en matière de saveurs, de textures et de goût qui participent à son processus d'apprentissage. L'étape où l'enfant passe du lait et des purées aux aliments solides et à ses premiers repas est d'une importance primordiale, d'autant que sa croissance repose sur sa consommation d'aliments protéinés.

Souvenez-vous que les protéines sont les composantes premières du corps de l'enfant et que, à cette étape de sa croissance, il faut accroître la sélection de protéines de sources animales et végétales qu'il consomme. Vous pouvez lui présenter peu à peu du poisson, du poulet et certaines viandes car l'appétit de l'enfant se creuse à cette étape.

Les légumineuses, les pois chiches, les lentilles et les haricots de toutes sortes sont d'excellentes sources de protéines, non seulement pour l'enfant végétarien, mais également pour ceux qui consomment des protéines d'origine animale. Les haricots et les légumineuses sont de plus d'excellentes sources de calcium qui remplacent le lait et les produits laitiers que certains nourrissons ne tolèrent pas (qui souffrent d'une intolérance au lactose). Il en est de même des légumes à feuilles vertes (en particulier le brocoli, le céleri et le chou-fleur) qui contiennent en plus du magnésium nécessaire à l'absorption du calcium.

La vitalité née des vitamines

Le collagène est nécessaire à la formation des os, pas seulement au resserrement des tissus cutanés. La vitamine C est l'élément nutritif qui favorise le plus la formation du collagène, que l'on doit consommer au quotidien puisque l'organisme ne peut l'emmagasiner. Prévoir au menu des pommes de terre, des poivrons verts, du chou, du melon, du brocoli et des patates douces (en plus des agrumes et des tomates) assurera une bonne variété d'aliments sources de vitamine C. Les vitamines C et D sont également essentielles à l'absorption du calcium dans les os; aussi, travaillent-elles ensemble.

À regarder votre enfant jouer et manger, vous vous ferez une idée de ce qui peut lui manquer. Bon nombre d'enfants de cet âge saisissent des poignées de terre, des galets et autres cailloux dans le jardin ou les environs; cela révèle parfois une carence en fer. Reportez-vous au tableau des vitamines et minéraux aux pages 152 à 155 afin de connaître les différents éléments nutritifs.

Premiers aliments solides

Les enfants de cet âge font montre d'une curiosité de plus en plus manifeste devant les aliments qu'on leur présente; ils remarquent tout ce que mangent leurs parents et tendent souvent les bras vers les aliments portés à la bouche de papa ou maman. À ce moment, vous devriez commencer à lui présenter et lui faire humer ses premiers aliments solides car chacun de ses sens est stimulé à chaque instant.

Nourriture préhensible

Légumes

- Carottes (en bâtonnets)
- Céleri (sans les fils, branches taillées en quartiers)
- Rutabaga (en lanières d'environ 6 à 8 cm ou 1,5 à 3 po de longueur)
- Navet (comme le rutabaga)
- Chou-fleur (taillé sur la longueur à partir de la tige)
- Patate douce (en bâtonnets comme les carottes)
- Poivrons jaunes et rouges (en lanières, épépinés)

Fruits

- Pommes (en lanières)
- Poires non mûres
- Ananas (pas avant 10 mois)

Dents de lait, dents de loup

Alors que ses dents de lait commencent à émerger, d'instinct votre enfant cherchera à porter des objets durs contre ses gencives afin de goûter de nouvelles sensations. Il est tout à fait normal à cet âge de sucer ou de mâchouiller ses doigts et il ne faut pas toujours y voir l'indice que la faim le tenaille. Il risque davantage de s'agir d'une réaction à la curiosité. Quelle force peut-il exercer en appuyant ses gencives l'une contre l'autre jusqu'à ne plus pouvoir ? Si vous lui présentez l'un de vos doigts, vous constaterez à quel point peut être forte la pression qu'il exerce avant de s'arrêter.

Les bébés peuvent porter n'importe quoi à leur bouche afin de distinguer différentes textures. Des jouets, leurs doigts, des objets durs tels que des crayons, des stylos et des clefs. Ils ignorent comment les différencier; aussi faut-il sans cesse les avoir à l'œil car il leur suffit d'une fraction de seconde pour saisir quelque chose et le porter à leur bouche.

Sucer son pouce relève d'un autre réflexe. Un enfant que l'on vient de sevrer cherche un substitut au sein maternel et son pouce et ses doigts sont à sa portée. Le réflexe qui porte l'enfant à vouloir téter le poursuit longtemps après le sevrage, parfois plusieurs années, et le débat reste ouvert à savoir s'il est opportun de le décourager ou s'il vaut mieux laisser le temps faire son œuvre et que l'enfant se défasse de cette habitude à son rythme.

De gros os

N'oubliez pas que la croissance des dents s'arrime à celle des os car l'une et l'autre reposent sur les mêmes éléments nutritifs. Un enfant qui s'intéresse à des aliments solides montre que les éléments nutritifs qu'il recherche sont différents de ceux dont il avait besoin quelques mois auparavant, alors que se développaient avant tout ses tissus cervicaux et nerveux. Il faut aussi y voir l'indice que le réflexe qui le porte à mâchouiller se manifestera sous peu; bien qu'il s'agisse d'un réflexe acquis, vous auriez avantage à stimuler ses sens en lui présentant une diversité de textures.

Les aliments crus font à l'enfant les meilleurs stimuli car ils sont vraiment différents des purées auxquelles il a goûté jusqu'ici. Les légumes-racines tels les carottes et le rutabaga sont agréables en raison de leur goût naturellement sucré mais le céleri n'est pas indiqué, en raison de ses fils qui peuvent obstruer la gorge de l'enfant. Les poivrons rouges et verts font une version plus sucrée et mieux hydratée des légumes-racines, en plus de contenir quantité de vitamine C nécessaire à la croissance des os et des dents. Les fruits tels que les pommes et les poires à chair ferme font des aliments crus de premier choix et l'on devrait en présenter des morceaux à la fin d'un repas fait d'aliments cuits pour que l'enfant apprenne à distinguer différentes textures.

Il faut également donner à l'enfant des légumes légèrement passés à la vapeur, taillés en bouchées, pour l'inciter à mastiquer plutôt qu'à téter et à jauger de la quantité d'aliments que sa bouche peut contenir. Peut-être vous rendrez-vous compte dans les premiers temps que l'enfant ignore à quel moment il faut avaler afin de vider sa bouche avant de l'emplir à nouveau.

Stimuler la digestion

Alors que varie le choix de ses menus, il en va de même de la faculté digestive de l'enfant. Alors qu'auparavant il importait de lui présenter une variété de fruits, de légumes et de céréales complètes qui contenaient des sucres facilement dégradables qui lui fournissaient de l'énergie sur-le-champ, à présent il vaut mieux lui offrir des aliments qui contiennent davantage de minéraux, en particulier ceux nécessaires au développement des os et des dents. On compte parmi ceux-ci le calcium, le magnésium, le bore, le manganèse et le phosphore. On trouve la plupart de ces éléments nutritifs dans les produits laitiers, les légumes à feuilles vertes et les légumes structurés tels que le brocoli et le céleri, ainsi que dans les poissons gras comme les sardines, le thon et le saumon.

À présent, votre enfant sera moins sensible aux aliments qu'il ne connaît pas mais vous devez tout de même surveiller le moindre indice d'une intolérance alimentaire. La diarrhée, la constipation, le vomissement, les éruptions cutanées et l'essoufflement sont autant d'indices d'une intolérance, voire d'une allergie alimentaire que vous devriez remarquer à l'heure qu'il est. À l'âge qu'il a, votre enfant devrait manifester haut et fort qu'il apprécie ou n'apprécie pas tel ou tel aliment. Cela ne signifie pas nécessairement qu'il est capricieux; simplement il peut être intuitif par rapport aux aliments dont il a besoin et qu'il réclame.

Sa flore intestinale est mieux développée à présent, de même que ses enzymes digestives, ce qui lui permet de digérer et d'absorber une grande variété d'aliments. Néanmoins, sa préférence pourrait aller à un groupe d'aliments et cela serait tout à fait normal.

Problèmes et solutions

Le développement de certains enfants est plus tardif mais, lorsqu'un enfant commence à consommer des aliments solides, on peut y voir l'indice d'une croissance rapide. Si ses dents font une percée à un très jeune âge, on peut penser que la croissance des os de ses bras et de ses jambes se fait en parallèle, et l'enfant peut s'asseoir de bonne heure par ses propres moyens.

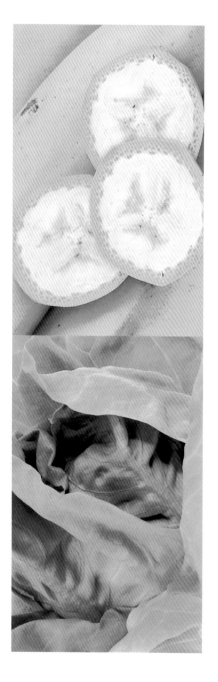

Toucher avec les mains et les yeux

Parmi les autres indices du rythme de croissance de votre enfant, on note sa faculté de coordonner les mouvements qui lui permettent de ramper ou d'avancer sur ses jambes, et le mouvement entre ses mains et sa bouche lorsqu'il commence à s'alimenter de lui-même. Il faut savoir que la coordination entre la main et les yeux repose sur les informations pertinentes présentes dans le cerveau qui dicte à la main de se déplacer avec précision vers la bouche. Une quantité insuffisante d'acides gras essentiels dans les aliments, couplée à un piètre apport en vitamines B, peut ralentir le développement des cellules du cerveau qui dirigent le mouvement et la coordination.

Il est essentiel que votre enfant reçoive les stimuli nécessaires à l'acquisition de ces aptitudes. Il ne s'agit pas de réflexes innés qui naîtraient sans l'apport d'autrui pour lui enseigner à se servir de ses membres, à ramper et éventuellement à marcher. Il est nécessaire de présenter à l'enfant de nouveaux jouets, ainsi que des cuillers et des fourchettes lorsqu'il est à table, afin de favoriser une meilleure coordination entre ses mains et ses yeux. S'il risque au départ de faire de beaux gâchis dans la cuisine, ce n'est que par une succession d'essais et d'erreurs qu'il parviendra à maîtriser ses mouvements.

Je vois, j'entends

Il importe à ce stade de tenter de déceler les difficultés que pourrait avoir l'enfant en ce qui a trait à la vue, l'ouïe ou l'élocution. Certains commencent à prononcer des mots longtemps avant d'autres et les premiers-nés sont habituellement moins rapides que leurs frères et sœurs car ils n'ont pas de frère ou sœur à imiter.

Si vous croyez que votre enfant a du mal à voir, à entendre ou à parler, vous feriez mieux de consulter un professionnel de la médecine qui pourra déterminer s'il s'agit ou non d'un trouble du développement. Entre-temps, examinez les différents remèdes que vous pourriez lui apporter (voyez la page ci-contre) pour établir si son alimentation lui procure tous les éléments nutritifs nécessaires au développement des zones du cerveau liées aux fonctions cognitives, auditives et visuelles. Une alimentation trop limitée pourrait entraver le développement de l'une ou l'autre de ces fonctions vitales.

Remèdes proposés

Problèmes	Solutions
Piètre coordination entre les mains et la bouche	La recherche laisse croire que l'on aurait intérêt à augmenter l'apport en vitamines B présentes dans l'orge, le riz, le sarrasin, le maïs et le millet, les bananes et les pois chiches. Prévoyez aux menus quantité de poissons gras (thon, saumon, hareng et sardines) ainsi que des graines de tournesol et de citrouille (moulues et ajoutées aux céréales et au porridge) afin d'accroître la quantité de matières grasses essentielles nécessaires à la fonction cognitive.
Faiblesse des os	Le calcium et le magnésium sont tous deux essentiels au développement d'une solide ossature. Puisez-les dans les légumes structurés (brocoli, chou-fleur, chou et céleri) et dans toutes les feuilles vert foncé. Les meilleures sources de calcium sont les poissons gras ayant de petites arêtes (tels que le saumon et les sardines que l'on peut réduire en purée pendant les premiers mois), tous les produits laitiers (le lait de chèvre et de brebis ainsi que celui de vache), toutes les noix et les graines. Vous pouvez moudre les amandes et ajouter un peu d'eau pour en faire un lait ou une crème qu'apprécient les jeunes enfants.
Lente poussée des dents	En plus du calcium, les vitamines C et D sont les éléments nutritifs qui contribuent le plus à la production de collagène, qui sert à la formation des os et des dents; prévoyez donc aux menus des pommes de terre, de petits fruits rouges et leur jus, du poulet et des viandes rouges.
Piètre vue	La vitamine A et son précurseur, le bêta-carotène, sont essentiels à la vue; l'enfant doit donc consommer quantité de fruits et légumes rouges, orange et jaunes (tomates, mangues, abricots, carottes, courges, citrouille, poivrons rouges et jaunes) sous forme de potages et de mets principaux. La vitamine C tient également un rôle important (voyez ci-dessus).
Piètre audition	Un excès de mucus peut empêcher un enfant d'ouïr comme il se doit et l'on peut s'en rendre compte par son incapacité à imiter ou reproduire les mots clairement ou s'il semble ignorer l'interlocuteur qui lui adresse la parole. Un excès de mucus est l'indice d'une intolérance ou d'une allergie alimentaire (reportez-vous à « Allergies et intolérances » aux pages 64 à 69) et, parmi les aliments qui permettent de remédier à la situation, on trouve ceux qui ont une teneur élevée en fibres, dont l'avoine, le sarrasin et le riz brun complet.

Menus planifiés

À cette étape, votre enfant commencera à saisir ses aliments à l'aide de ses mains et à les porter à sa bouche. Il goûtera la sensation d'aliments plus solides.

Menus de la semaine entre 6 et 12 mois

JOUR 1

Petit déjeuner	Lait maternel ou maternisé avec de la purée de pêches et riz brun
Avant-midi	Lait maternel ou maternisé
Déjeuner	Purée de poisson blanc, de carottes et de poivron rouge
Après-midi	Lait maternel ou maternisé
Dîner	Purée d'avocat ou de poires
Dodo	Lait maternel ou maternisé

JOUR 2

Petit déjeuner	Lait maternel ou maternisé avec de la purée de prunes et quinoa
Avant-midi	Lait maternel ou maternisé
Déjeuner	Purée de patate douce et de poivron rouge avec poulet
Après-midi	Lait maternel ou maternisé
Dîner	Millet et purée de poires et de brocoli
Dodo	Lait maternel ou maternisé

JOUR 3

Petit déjeuner	Lait maternel ou maternisé avec avoine et de la purée d'abricots
Avant-midi	Lait maternel ou maternisé
Déjeuner	Purée de citrouille, de poireau et de morue
Après-midi	Lait maternel ou maternisé
Dîner	Purée de lentilles, de poivron rouge et de tomate
Dodo	Lait maternel ou maternisé

JOUR 4

Petit déjeuner	Lait maternel ou maternisé avec de la purée de bananes et riz brun
Avant-midi	Lait maternel ou maternisé
Déjeuner	Purée de dinde, de pommes de terre et de pois
Après-midi	Lait maternel ou maternisé
Dîner	Purée de chou-fleur, de panais et de courge musquée
Dodo	Lait maternel ou maternisé

JOUR 5

Petit déjeuner	Lait maternel ou maternisé avec de la purée d'abricots et quinoa
Avant-midi	Lait maternel ou maternisé
Déjeuner	Purée de saumon, de pommes de terre et de maïs sucré
Après-midi	Lait maternel ou maternisé
Dîner	Purée de patate douce, de carottes et millet
Dodo	Lait maternel ou maternisé

JOUR 6

Petit déjeuner	Lait maternel ou maternisé avec avoine et purée de papaye
Avant-midi	Lait maternel ou maternisé
Déjeuner	Purée de pois chiches, de tomate et de courgette
Après-midi	Lait maternel ou maternisé
Dîner	Purée de pommes de terre, de pois et d'épinards
Dodo	Lait maternel ou maternisé

JOUR 7

Petit déjeuner	Lait maternel ou maternisé avec riz brun et purée de pommes
Avant-midi	Lait maternel ou maternisé
Déjeuner	Purée de thon, de courge musquée et de poireau
Après-midi	Lait maternel ou maternisé
Dîner	Purée de pois cassés et de poivron rouge
Dodo	Lait maternel ou maternisé

Menus de la semaine entre 12 et 18 mois

JOUR 1

Petit déjeuner	Porridge d'avoine et prunes pelées, concassées
Déjeuner	Morue et purée de pois et de pommes de terre
Dîner	Purée de lentilles avec tomate et brocoli

JOUR 2

Petit déjeuner	Porridge de sarrasin et compote d'abricots
Déjeuner	Hachis de poulet, purée de maïs sucré et pommes purée
Dîner	Purée de légumes-racines avec carottes, patate douce et riz brun

JOUR 3

Petit déjeuner	Œufs brouillés et lanières de pain de seigle grillé
Déjeuner	Pâtes à la farine de maïs avec courgettes et brocoli vapeur
Dîner	Risotto de riz brun avec poireaux et épinards

JOUR 4

Petit déjeuner	Céréales à base de maïs avec banane et abricots
Déjeuner	Hachis Parmentier avec carottes et pommes de terre
Dîner	Orzo et sauce crémeuse aux champignons

JOUR 5

Petit déjeuner	Œufs bouillis (hachés) et lanières de pain de seigle grillé
Déjeuner	Ragoût de poulet et purée de citrouille et de tomate
Dîner	Tagliatelle en sauce au cheddar allégé et pois

JOUR 6

Petit déjeuner	Porridge d'avoine avec pommes hachées et raisins secs
Déjeuner	Risotto au thon et aux poivrons rouges (fait de riz brun)
Dîner	Boulettes de haricots avec dés de carottes et purée de maïs sucré

JOUR 7

Petit déjeuner	Yaourt et boisson fouettée à la papaye et à la mangue sur céréales de riz
Déjeuner	Ragoût de bœuf (ou de haricots rognons) et de panais avec riz et pois
Dîner	Pomme de terre au four et haricots gratinés

Préparation des menus de 6 à 12 mois

À ce stade, l'enfant mange des purées auxquelles vous pouvez apporter de nouvelles saveurs et textures, en plus de protéines d'origine animale qui se trouvent dans le poulet, les poissons et les viandes rouges maigres. Il faut lui donner chaque jour des légumes verts pour qu'il tire toutes les vitamines B, le calcium et le magnésium pour favoriser la formation de tissus osseux et de dents solides. Désormais, vous devriez nourrir votre enfant à six reprises au cours de la journée et lui donner du lait maternel ou maternisé à trois reprises pour assurer une absorption optimale des éléments nutritifs.

Préparation des menus de 12 à 18 mois

Continuez de le nourrir à six reprises au cours d'une journée mais commencez à remplacer quelques purées par des fruits en compote ou hachés, des légumes, du poulet ou du poisson afin que ses aliments soient plus texturés. Offrez-lui également à grignoter des fruits pelés et des légumes à peine cuits à la vapeur. Il s'agit de l'inciter à mastiquer ses aliments par simple nécessité. Bien qu'il risque au départ d'en porter trop à sa bouche, il apprendra vite à mastiquer et à avaler avant d'en reprendre. À présent qu'il est sevré, continuez de lui donner du lait en avant-midi, en après-midi et au moment du coucher (le cas échéant) en fonction de son âge.

Éléments nutritifs utiles au développement

Vitamines B
Acides gras essentiels
Oméga-3
Oméga-6
Vitamine B6
Vitamine C
Zinc

Votre enfant consomme à présent une plus grande variété d'aliments et, avec un peu de chance, il apprend la propreté et peut se passer d'une couche. Sur le plan émotionnel, votre enfant forge son caractère, il parle de plus en plus à mesure qu'il apprend de nouveaux mots et vous ne pouvez plus relâcher votre surveillance car il se déplace trop rapidement sur ses courtes jambes.

18-3

De 18 mois à 3 ans

Stades de développement

C'est au cours de cette catégorie d'âge que la fonction digestive se raffine et que l'enfant apprend à contrôler sa vessie (en général vers deux ans).

Ventres et bedaines

Les enzymes digestives, que l'on trouve dans la bouche, l'estomac et l'intestin grêle, se développent rapidement à cet âge; elles sont essentielles à la digestion et à l'absorption d'une plus grande variété d'aliments. Presque tous les enfants de cet âge veulent goûter de nouvelles saveurs et textures pratiquement chaque semaine.

Il est primordial que les aliments soient sources de vitamines B (présentes dans les grains complets tels que le riz brun, l'orge, le sarrasin, l'avoine, le millet et le maïs, ainsi que dans le poulet, la dinde, la viande rouge et les légumes à feuilles vertes) car le système digestif d'un enfant de cet âge ne cesse de fonctionner et brûle quantité d'énergie. En élargissant les choix alimentaires de l'enfant, on lui assure un apport suffisant en éléments nutritifs essentiels.

Une fonction digestive déficiente peut être révélée par des diarrhées fréquentes, une perte de poids et une sensibilité manifeste à mesure que l'on présente de nouveaux aliments à l'enfant. Si vous craignez que votre enfant n'éprouve un problème d'ordre physique, vous devez le conduire chez un médecin ou un spécialiste afin qu'il cerne l'élément de son tractus digestif qui ne fonctionne pas de façon optimale. Une digestion déficiente conduit à une piètre absorption des éléments nutritifs nécessaires à la croissance, à un manque de concentration et à une fatigue constante. Rarement un enfant sera-t-il atteint d'une maladie plus grave telle la maladie cœliaque (reportez-vous à la page 68), mais vous ne devriez pas exclure cette possibilité si l'enfant perd du poids rapidement et s'il semble incapable de conserver plus d'une heure les aliments qu'il consomme.

Le contrôle de la vessie

C'est à cet âge qu'un enfant apprend la propreté, ce qui exige de la patience et un sens aigu de l'observation de la part des parents, mais ne pressez pas votre enfant s'il se montre hésitant. Certains enfants sont plus lents que d'autres et il n'existe aucune règle établie, sinon de grandes lignes. Il faut que votre enfant apprenne qu'il s'agit là d'une fonction organique à laquelle il n'est pas tenu de s'astreindre dans la plus stricte intimité, bien qu'il puisse chercher la solitude en pareils moments, imitant en cela votre comportement.

Il risque de mouiller son lit à partir du moment où il ne portera plus de couches. Ne le grondez jamais jusqu'à ce qu'il soit honteux devant ce phénomène tout naturel. Il lui faudra quelque temps pour bien imprégner dans son subconscient qu'il doit se réveiller avant de soulager sa vessie. L'incontinence d'urine peut faire naître une forte angoisse chez les jeunes enfants et l'une des causes du problème peut avoir une origine nutritionnelle. Voyez si l'enfant pourrait manifester ainsi une légère intolérance à un aliment qu'il consomme de façon régulière. Les tomates, les agrumes et les jus sont souvent en cause car ils sont acides et peuvent irriter la vessie; la même chose est vraie d'un excès de sucre ajouté ou raffiné.

Colonne vertébrale et membres agiles

Lorsqu'un enfant a trois ans, son système nerveux est davantage développé, ses mouvements sont mieux coordonnés et ses réactions plus rapides. Il importe de lui fournir tous les éléments nutritifs nécessaires au développement de sa colonne vertébrale qui abrite le centre nerveux afin qu'il soit aussi agile dans ses mouvements que sur le plan intellectuel. C'est l'une des périodes où la colonne vertébrale croît le plus rapidement (après le séjour dans le sein maternel) et où la musculature se développe en vue d'assurer la souplesse nécessaire à la gamme complète des mouvements. Les acides gras essentiels (que l'on trouve dans les noix, les graines et leurs huiles ainsi que dans les poissons) occupent alors une place importante dans le développement des cellules nerveuses de la colonne et du cerveau. À mesure que l'enfant devient plus actif et plus adroit, il faut augmenter son apport en éléments nutritifs afin de soutenir cette évolution.

L'ange et le monstre

Un changement de comportement survient généralement vers l'âge de 2 ans. Il peut être attribuable aux fluctuations du taux de glycémie, à de nouvelles exigences nutritives ou à la fonction métabolique alors que la hausse des besoins d'énergie influe sur le rythme auquel les aliments sont consumés et laisse les enfants irascibles. Les adultes que nous sommes ont tendance à se tourner vers un stimulant rapide, par exemple un café ou du chocolat, mais ces derniers ne conviennent pas à un enfant de cet âge qui est beaucoup plus sensible que nous aux aliments et aux boissons qu'il consomme.

Afin de mieux comprendre le rôle du sucre dans le sang, reportez-vous aux pages 38 à 41 et intéressez-vous à l'indice glycémique des d'aliment. Souvenez-vous que plus l'indice glycémique est élevé, plus vite les aliments seront absorbés et transformés en glucose, donc en énergie. Plus un aliment a subi de transformation, plus son indice glycémique est élevé et plus l'humeur de l'enfant risquera de fluctuer.

Vous devez également entrevoir la possibilité d'une intolérance à certains aliments. Reportez-vous à « Allergies et intolérances » aux pages 64 à 69 et à « Savoir reconnaître les indices de l'hyperactivité » aux pages 70 et 71.

Des repas plus copieux

À mesure qu'augmente le rythme de croissance de votre enfant et celui auquel il consume de l'énergie, il faut lui donner davantage à manger et accélérer la fréquence des repas. Idéalement, votre enfant ne devrait pas passer plus de trois heures sans prendre un repas ou une collation santé et vous devez être en mesure de lui fournir les aliments nécessaires où que vous soyez. Si votre enfant devient soudain calme ou s'il a peine à se concentrer, il peut souffrir d'hypoglycémie; vous pouvez remédier à la situation en quelques minutes en lui donnant à manger.

Bonnes sources de protéines

- Lait
- Fromages
- Œufs
- Yaourt
- Viandes
- Poissons
- Poulet
- Lentilles et autres légumineuses
- Quinoa
- Millet et autres grains
- Noix (sauf les arachides) et graines
- Produits à base de soja (dont la boisson et le tofu)

L'enfant peut tirer des légumes des quantités moindres de protéines.

Crêtes et creux

Certains enfants affichent plus que d'autres les crêtes et les creux de leur glycémie. Étant donné que tous les aliments peuvent être transformés en glucose à différents rythmes (reportez-vous à « Sucre et épices » aux pages 38 à 41), il importe d'apporter régulièrement au cerveau et aux muscles les éléments nutritifs nécessaires à la fonction cognitive et à l'énergie physique. Si votre enfant court comme un chien fou pendant quelque temps puis s'affaisse comme s'il était soudain épuisé, son taux de glycémie vient peut-être de dégringoler. À cet âge, près de 70 pour cent des aliments digérés servent de carburant au cerveau; vous devez donc veiller au renouvellement du carburant de votre enfant pour lui permettre d'apprendre et de mémoriser plus facilement de nouvelles informations. S'il déploie beaucoup d'efforts afin de comprendre une chose que vous lui expliquez, voyez ce qu'il a consommé à son dernier repas.

Plats principaux

À présent, vous devrez préparer des repas plus copieux. Alors qu'auparavant vous lui serviez un seul plat, disons une purée suivie d'un dessert, vous devrez désormais préparer plusieurs aliments en guise de plat principal pour éviter que l'enfant ne consomme trop de pain ou de pommes de terre. Prévoyez ajouter chaque jour quelques grains ou une autre source de glucides à base d'amidon à au moins deux plats principaux (par exemple de l'avoine ou du maïs au petit déjeuner, du pain complet ou des pâtes de blé entier au déjeuner et du riz au dîner) et ajoutez une source de protéines et au moins un fruit ou un légume (de couleurs différentes de préférence) afin de varier le menu. Reportez-vous à « Menus planifiés » aux pages 104 et 105 pour des associations alimentaires adaptées à un enfant de cet âge.

L'équilibre entre les protéines et les glucides

Le fait d'ajouter quelques protéines (de sources animale ou végétale) à chacun de ses repas et de ses goûters prolongera le dégagement de l'énergie, ce qui régularisera l'humeur de votre enfant. D'instinct, les enfants ont plus envie de glucides que de protéines car leur organisme sait intuitivement qu'il peut transformer les glucides en énergie plus rapidement que les protéines. Voilà qui explique pourquoi un enfant mangera toutes les croustilles qui se trouvent dans son assiette avant de goûter le hambourgeois ou le pâté de poisson. Vous pouvez le laisser agir de la sorte, à la condition qu'il consomme également les protéines car l'équilibre s'atteint par suite de la digestion des glucides et des protéines. L'enfant qui consomme seulement des glucides connaîtra un regain d'énergie avant de ressentir une brusque fatigue.

Des fibres nourrissantes

À l'époque où bon nombre d'aliments subissent des tas de transformations, nous oublions trop souvent l'importance des fibres qui jouent un rôle dans l'équilibre du taux de glucose sanguin chez l'enfant. Les fibres entrent en jeu au moment de la digestion et de l'absorption, alors qu'elles ralentissent l'afflux de glucose dans le sang et veillent à ce que l'enfant ne souffre pas de constipation. Donnez-lui à manger des pommes et des fruits avec leur pelure et tous les aliments à base de grains doivent être complets. Les enfants raffolent du muesli et du porridge d'avoine ou de millet au petit déjeuner; vous pouvez les faire tremper au cours de la nuit afin d'accélérer leur préparation au petit matin (reportez-vous à « Ses premières céréales et les musts du petit déjeuner » aux pages 134 à 136).

Si vous donnez à votre enfant des jus de fruits frais, n'oubliez pas que toutes les fibres en ont été retirées lors du passage dans la centrifugeuse. Il faut donc accompagner le jus d'un morceau de fruit frais afin de remplacer une part des fibres naturelles.

Bonnes sources de glucides

- Céréales
- Biscuits
- Haricots et autres légumineuses
- Riz, polenta et autres grains
- Pâtes
- Pizzas à la polenta (reportez-vous à la page 151)
- Tous les fruits et légumes
- Muffins de céréales complètes
- Barres granola

La version complète de tout aliment glucidique contient plus d'éléments nutritifs qui apporteront donc davantage d'énergie à l'enfant pendant une plus longue période.

Bonnes sources de fibres naturelles

- Fruits avec leur pelure
- Légumes crus (p. ex. carottes, céleri, maïs sucré, haricots verts, pois mange-tout)
- Pains complets
- Gâteaux d'avoine et de riz
- Riz brun
- Pâtes de blé entier
- Pommes de terre en robe des champs
- Haricots cuits au four (qui contiennent peu de sucre)
- Haricots rognons et pois chiches
- Lentilles et autres légumineuses

Problèmes et solutions

Il existe deux problèmes potentiels auxquels on doit faire face à ce stade, l'un d'ordre physique, l'autre d'ordre mental, étant donné que la croissance du corps et le développement du cerveau se font à un rythme si rapide. Nous nous sommes déjà attardés aux besoins nutritionnels d'un enfant de cet âge (reportez-vous à « Des repas plus copieux » à la page 100).

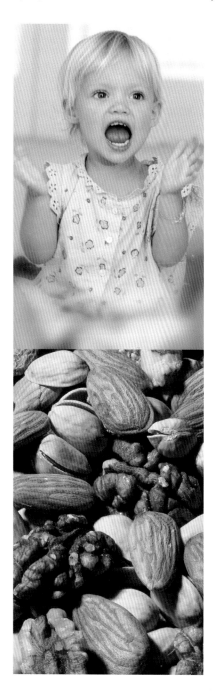

Problèmes physiques

Il faut hausser la dose de protéines à cet âge afin de favoriser le développement des tissus osseux et musculaires à mesure que l'enfant s'adonne à des activités physiques plus nombreuses. L'acuité d'esprit et la sensibilité physique reposent sur le système nerveux, encore en phase de développement, d'où la nécessité de fournir à l'enfant une bonne provision de matières grasses essentielles (reportez-vous à « Composants essentiels » aux pages 16 à 19). Puisque à cet âge les enfants brûlent vite l'énergie qu'ils tirent de leurs aliments, vous devez faire en sorte qu'ils mangent quelque chose toutes les deux ou trois heures pour que leur glycémie demeure constante. Cela vaut pour leur humeur autant que pour leur énergie physique. Les enfants souvent las accusent peut-être un déséquilibre entre les glucides et les protéines qu'ils tirent de leurs aliments; aussi, reportez-vous à la pyramide alimentaire (aux pages 20 à 23) afin de revoir les différentes catégories d'aliments et le dosage recommandé en fonction de l'âge des petits.

Problèmes mentaux

Nous l'avons vu, c'est à cet âge que le petit ange peut soudain se transformer en monstre, bien qu'à vrai dire on assiste plus souvent à une telle métamorphose au cours de la troisième ou de la quatrième année, le cas échéant. Il s'agit d'ordinaire d'une phase ponctuée de sautes d'humeur et d'accès de colère qui peuvent être provoqués par les frustrations issues de ce que le cerveau réclame quelque chose que le corps ignore encore. Autrement, l'ennui s'installe vite à cet âge et il faut veiller à offrir différentes formes de stimulation. Au lieu de croire que votre enfant restera sagement assis à faire des coloriages pendant un bon moment, prévoyez une série d'activités qui feront appel à ses sens au fil de la journée en faisant alterner les activités physiques et intellectuelles.

Il est essentiel de fournir au cerveau les éléments nutritifs dont il a besoin car des milliers d'informations lui parviennent désormais chaque jour. Les matières grasses essentielles (présentes dans les noix, les graines et leurs huiles, et dans les poissons gras) sont les points d'appui du régime alimentaire; l'enfant doit en consommer régulièrement.

Problèmes	Solutions

Physiques

Douleur continue aux os	Augmentez l'apport en matières grasses essentielles (noix, graines et poissons gras) et en protéines (poulet, viande, grains complets et crustacés).
Muscles endoloris	Augmentez l'apport en glucides complexes (céréales complètes, crêpes de sarrasin et muffins au maïs) et présentez-lui quantité de légumes.
Crampes musculaires	Augmentez sa dose de vitamines B et de magnésium, présents dans les pains complets farine de seigle et de blé), le riz et les légumes à feuilles vertes, plus les aliments qui sont naturellement salés tels que le poisson, le jambon et les produits de soja fermenté (si l'enfant est végétarien).
Secousses musculaires	En premier lieu, assurez-vous qu'elles ne découlent pas d'un accident, après quoi augmentez l'apport en matières grasses essentielles, en produits laitiers et en poissons.
Incontinence d'urine	Voyez s'il s'agit de sensibilité à certains aliments, à ce qu'il pourrait boire ou manger au cours de la soirée ou lors du dernier repas de la journée; réduisez la quantité de sucre dans ses boissons et ses aliments car il peut irriter la vessie.

Mentaux

Sautes d'humeur	Servez-lui des repas plus réguliers auxquels vous prévoirez des protéines afin de ralentir la libération du glucose et de maintenir plus longtemps la bonne humeur. Évitez de lui donner trop de sucreries.
Accès de colère	Voyez la quantité de sucre artificiel que votre enfant consomme et réduisez-la, le cas échéant. Tenez son journal alimentaire afin de relever les schèmes existants entre ses humeurs et les aliments qu'il consomme (reportez-vous à « Allergies et intolérances » aux pages 64 à 69).
Somnolence excessive	Servez-lui des repas plus réguliers; prenez en compte la possibilité qu'il souffre de sensibilité à certains aliments; assurez-vous qu'il fait une consommation minimale de glucides simples et supprimez de son alimentation tous les aliments prêts-à-servir car les additifs peuvent être à l'origine de ce problème.

Remarque : Si un problème ne semble pas résolu après quelques jours d'une modification apportée au régime alimentaire de l'enfant, un autre facteur peut être en cause auquel cas vous devriez consulter un praticien de la médecine.

Menus planifiés

À l'âge qu'il a, votre enfant prend des repas complets avec plats principaux et desserts, entre lesquels vous lui donnez des collations. Vous pouvez désormais vous inspirer de toutes les recettes à la fin de cet ouvrage, dont celles portant sur les plats principaux essentiels, et arrêter votre choix sur des plats à base d'amidon et de protéines pour faire bonne mesure. En de sens, la pizza à la polenta et ses garnitures variées (page 151) ou les pâtes en sauce à la viande ou au fromage, par exemple les farfalle au jambon et aux pois (page 140) ou les tagliatelle au thon (page 150), sont des suggestions tout indiquées.

Le lait que l'enfant doit consommer de façon régulière peut être remplacé par d'autres formes de produits laitiers (des fromages affinés, du yaourt ou du fromage frais) à mesure qu'augmente sa consommation. Si l'enfant ne supporte pas les produits laitiers ou s'il semble peu les apprécier, donnez-lui du lait de riz, d'avoine ou de soja, du yaourt à base de tofu et de la crème glacée à base de soja. Vous pouvez préparer vous-même la crème glacée, pour peu que vous ayez l'appareil nécessaire. Suivez les indications à la lettre et ne la conservez pas pendant plus de cinq ou six jours car elle n'aura pas les agents de conservation des glaces du commerce. Vous pouvez préparer la crème glacée en remplaçant le lait de vache par du lait d'avoine ou de soja, que vous parfumerez avec vos purées de fruits frais plutôt qu'avec des édulcorants et des arômes artificiels.

Grignoter et collationner en vitesse

Dans les familles qui bougent beaucoup et dont les enfants d'âges différents ne vont pas tous à l'école à la même heure, le plus jeune n'est peut-être pas en mesure d'attendre que l'on serve le repas de ses frères et sœurs. Les enfants appartenant à cette catégorie d'âge doivent manger toutes les trois heures; aussi, faites en sorte de ne jamais partir de la maison sans emporter un en-cas santé pour ne pas succomber à la tentation des grignotines salées ou sucrées.

Je conseille toujours aux mères de considérer leur véhicule comme une seconde cuisine et d'y tenir en tout temps quelques fruits, par exemple des pommes et des bananes, quelques morceaux de fromage comme du cheddar ou de l'édam, des bâtonnets de légumes crus et des gâteaux de riz ou d'avoine. Ils font tous d'excellentes collations entre les repas, quelle que soit la préférence de votre enfant . Ajoutez à cela un contenant de hoummos ou de guacamole que vous aurez préparé vous-même ou acheté au supermarché ou encore une trempette maison (pages 148 et 149) et vous ferez un goûter équilibré.

Menus de la semaine entre 18 mois et 3 ans

JOUR 1

Petit déjeuner Céréales granola. Un verre de jus de fruit allongé de 50 pour cent d'eau

Avant-midi Une poire ou une prune

Déjeuner Croquettes de saumon, carottes, pois et pommes de terre nouvelles ou en purée. Purée de fruit avec fromage frais ou yaourt de soja

Après-midi Gâteaux d'avoine avec beurre de noix

Dîner Hambourgeois de haricots (page 138) avec riz et légumes sautés. Crème glacée. Verre de lait

JOUR 2

Petit déjeuner Œufs brouillés (page 136) avec lanières de pain de seigle grillé. Abricot ou nectarine. Verre de lait

Avant-midi Yaourt avec miel et fruits concassés

Déjeuner Poulet et légumes sautés au miel (page 140). Verre de jus allongé d'eau

Après-midi Bâtonnets de légumes crus avec trempettes (pages 148-149) ou guacamole

Dîner Orzo avec salsa de champignons (page 150). Fruit. Verre de lait

JOUR 3

Petit déjeuner Porridge d'avoine avec fruits (page 134). Verre de lait

Avant-midi Fromage frais avec purée de fruit

Déjeuner Tagliatelle au thon (page 150) avec pois et maïs sucré. Verre de jus de fruit allongé d'eau. Pêches et bananes en crème pâtissière (page 144)

Après-midi Muffin aux carottes (page 146). Verre de lait

Dîner Poulet et riz (page 142). Purée de légumes (page 139). Crème glacée

JOUR 4

Petit déjeuner Flocons de maïs avec banane et pomme concassées. Rôtie de pain complet avec beurre de noix

Avant-midi Galette à l'avoine et aux dattes (page 145). Verre de lait

Déjeuner Légumes sautés avec jambon (ou tofu). Bombe aux pommes (page 145). Verre de jus de fruit allongé d'eau. Fruit.

Après-midi Une tasse de maïs éclaté (maison)

Dîner Œufs sur pain de seigle (page 151). Tourbillon aux fruits (page 147)

JOUR 5

Petit déjeuner Muesli trempé avec concassé de mangue ou de papaye. Verre de lait ou petit yaourt bio avec un peu de miel

Avant-midi Grappe de raisin et morceau de fromage

Déjeuner Pomme de terre au four avec fromage gratiné ou saumon, pois mange-tout et courge musquée (cuite avec la pomme de terre). Sucette glacée maison (page 147). Verre de jus de fruit allongé d'eau

Après-midi Galette à l'avoine et aux dattes (page 145). Verre de lait

Dîner Pizza à la polenta (page 151) et légumes vapeur passés au beurre

JOUR 6

Petit déjeuner Œuf poché sur toast de pain complet avec une tranche de jambon ou des champignons. Verre de jus de fruit allongé d'eau. Un morceau de fruit

Avant-midi Deux galettes de riz ou biscottes avec végépaté ou confiture. Verre de lait

Déjeuner Haricots au four avec saucisses (à la viande ou végétariennes), purée de pommes de terre et pois ou haricots verts. Tourbillon aux fruits (page 147). Verre de jus de fruit allongé d'eau

Après-midi Trempette aux pois chiches et au pesto (page 149) avec croustilles de maïs ou bâtonnets de carotte et de céleri

Dîner Sauté de poulet avec riz et légumes. Pouding au riz et aux fruits (page 146)

JOUR 7

Petit déjeuner Crêpes de sarrasin (page 136) avec miel et tranches de fruit frais. Yaourt bio nature. Verre de lait ou jus de fruit allongé d'eau

Avant-midi Muffin aux carottes (page 146)

Déjeuner Poulet rôti avec panais et patate douce grillés, et légumes sautés. Croustade aux pommes ou à la rhubarbe avec fromage frais. Verre de lait

Après-midi Un morceau de fruit ou du maïs éclaté

Dîner Pomme de terre au four gratinée au fromage avec purée de tomate ou soupe de poulet et lentilles (page 137) et pain complet. Verre de jus de fruit allongé d'eau. Petite grappe de raisin

Éléments nutritifs utiles au développement

Vitamines B
Choline
Acide folique
Fer
Oméga-3
Oméga-6
Sélénium
Vitamine A
Vitamine C
Vitamine E
Zinc

À cet âge, votre petit fréquentera le jardin d'enfant ou la petite école. Il apprendra la sociabilité et acquerra une étonnante variété de nouvelles informations. Son alimentation doit tenir compte des besoins de son cerveau mais également de son système immunitaire car votre enfant sera mis en présence de toutes sortes de virus et d'infections.

4-7

De 4 à 7 ans

Stades de développement

Il faut toujours veiller au système immunitaire de votre enfant, peut-être l'un des plus complexes qui soient et qui ne fait jamais relâche. Étant donné que la vigueur de son système immunitaire sera tributaire de ses réactions aux virus et microbes, son alimentation devrait pourvoir à ses besoins en ce sens.

Immunité contre les microbes

La fréquentation quotidienne de petits camarades de classe présentera ses premiers défis au système immunitaire de votre enfant.. Si la direction de l'école invite les parents à garder leurs enfants malades à la maison pour éviter les infections multiples, certains parents estiment préférable que leurs enfants soient exposés aux rhumes et aux infections afin de fortifier leur système immunitaire.

Aucune de ces démarches n'est nécessairement erronée mais certains enfants sont plus robustes que d'autres et il n'y a pas lieu d'obliger le vôtre à se rendre à l'école s'il fait de la fièvre et s'il est vraiment malade.

Le rôle du zinc et du sélénium

Ces deux minéraux sont nécessaires au développement du système immunitaire dans son ensemble. Dès le moment où commence le travail de la mère, elle passe sa réserve presque entière de zinc à son enfant par l'intermédiaire du placenta afin de le préparer aux défis immunitaires qui l'attendent aussitôt qu'il est en ce monde.

Les enfants qui souffrent régulièrement de rhumes, de la toux et d'autres infections, ont peut-être une carence de zinc. Prévoyez donc aux menus quotidiens des aliments riches en zinc que l'on trouve dans toutes les viandes et volailles, les jaunes d'œufs, les sardines et le thon, les poissons gras et les crustacés, l'avoine, le seigle, le sarrasin et le riz brun, ainsi que les noix, les amandes et les graines de tournesol.

Le sélénium est nécessaire en plus petites quantités mais il n'en est pas moins important car il agit avec la vitamine E pour protéger des bactéries et des virus et neutraliser les toxines présentes dans l'organisme. L'une des façons les plus simples de déceler une carence de sélénium consiste à observer la fréquence des rhumes, des infections bronchiques et autres, car le sélénium est un antioxydant nécessaire à la fonction immunitaire. Les meilleures sources de sélénium sont les fruits de mer et les crustacés, les graines de sésame, les noix du Brésil et le germe de blé.

Les vitamines A, C et E, naturellement protectrices

Nous savons tous que la vitamine C est essentielle au système immunitaire mais cela est aussi vrai des vitamines A et E. Toutes trois protègent ensemble l'organisme des virus et infections bactériennes, qui doit les tirer des aliments que nous consommons au quotidien.

Les êtres humains ne peuvent emmagasiner la vitamine C; aussi, est-il nécessaire de consommer des fruits tels que les agrumes, les kiwis et les baies rouges, des légumes à feuilles vertes, des poivrons, des pommes de terre, des patates douces, du brocoli et du chou. Il n'est pas conseillé de boire de grandes quantités de jus d'agrumes du commerce afin de faire provision de vitamine C car une bonne partie des vitamines qu'ils contiennent est perdue en raison de la quantité excessive de sucre qu'on leur ajoute.

On trouve la vitamine A sous deux formes, animale (le rétinol) et végétale (le bêta-carotène). Les enfants doivent en tirer des deux sources bien qu'ils l'absorbent plus facilement sous sa forme animale. Ainsi, les enfants végétariens doivent consommer quantité de bêta-carotène que leur organisme transforme par la suite en vitamine A. Les meilleures sources animales de vitamine A sont le foie, les jaunes d'œufs, les produits laitiers et les poissons gras tels que les sardines et le maquereau. Parmi les sources végétales, on compte les légumes à feuilles vertes, les carottes (le bêta-carotène leur procure leur belle couleur orange), les patates douces, la citrouille, les courges, les poivrons orange, les tomates, les pêches, les mangues et les papayes.

On trouve la vitamine E dans les acides gras essentiels que contiennent les poissons gras et dans les noix, les graines et leurs huiles. Sa principale fonction consiste à protéger toutes les cellules de l'organisme contre les ravages de l'oxydation (comme celle qui marque la chair d'une

Quand tout ne va pas

- Perte d'appétit
- Manque d'entrain
- Absence de concentration
- Léthargie ou incapacité d'agir
- Pleurs sans raison apparente
- Fièvre
- Étourdissements, nausée ou maux d'estomac
- Gorge sèche et soif excessive
- Teint blême, peau sèche ou humide

pomme qui brunit lorsqu'on la tranche à l'air libre et à la lumière) et à conserver à la peau sa douceur et sa souplesse.

Une santé de fer

Le fer est également essentiel au système immunitaire qui en dépend pour la production de globules blancs qui iront au combat et pour la création de globules rouges qui achemineront l'oxygène et les éléments nutritifs vers chaque organe. Si votre enfant a tendance à faire de l'anémie, vous devez savoir que trois éléments nutritifs peuvent lui manquer, soit le fer, l'acide folique et la vitamine B12.

Les enfants végétariens et végétaliens risquent davantage de faire de l'anémie car on tire principalement la vitamine B12 d'aliments d'origine animale tels que le foie, le bœuf, le porc, le poisson, les crustacés, les œufs, le lait et le fromage. Les enfants peuvent consommer davantage de fer sous forme animale (par exemple du foie, de la viande rouge et des œufs) mais on en trouve également dans plusieurs fruits (dont les pêches, les figues, les abricots, les cerises, les bananes et les avocats), ainsi que dans le riz brun, les pommes de terre et le brocoli. L'acide folique est davantage concentré dans les légumes à feuilles vert foncé, les jaunes d'œufs, les abricots, les avocats, le blé et le seigle complets. Vous pouvez donner ces trois éléments nutritifs à votre enfant au cours d'un petit déjeuner costaud composé de muesli, de fruits frais et séchés, de lait ou de yaourt. Votre enfant aurait également tout intérêt à consommer des légumes verts avec des fruits à teneur élevée en vitamine C, par exemple du brocoli et du jus d'orange, car ils accroissent la bio-disponibilité du fer.

Esprit éveillé, appétit aiguisé

Votre enfant atteint un âge où se présentent à lui des défis sur les plans académique et physique (on pense ici aux sports et aux jeux en équipe) et où il doit parfaire ses aptitudes sociales. Ces activités le mettent chaque jour en présence de centaines de nouveaux mots, concepts et idées; vous comprendrez donc que votre enfant a besoin d'une grande variété d'aliments afin de soutenir un développement intellectuel aussi rapide.

Les principaux éléments nutritifs dont il a besoin en ce moment sont les matières grasses essentielles que l'on trouve dans les poissons gras, les noix, les graines et leurs huiles, les vitamines B et en particulier la choline qui est essentielle à l'établissement de rapports entre les pensées. On trouve de la choline dans la plupart des légumes à feuilles vertes, le germe de blé, les jaunes d'œufs et le foie.

Langueur en fin d'après-midi

Si vous avez constaté que votre enfant doit manger fréquemment, la chose vous paraîtra plus évidente encore lorsqu'il reviendra de l'école. C'est en général à cette heure du jour que sa glycémie est à son plus faible, lorsque l'enfant est fatigué et qu'il n'a rien mangé depuis midi. Prévoyez une collation concentrée en protéines sur le chemin du retour ou aussitôt qu'il arrive à la maison et vous lui éviterez la mauvaise humeur à ce moment-là.

Ses premiers jours à l'école

D'importants changements surviennent alors que votre petit entre au jardin d'enfants, d'autant qu'il doit alors observer un régime plus rigoureux et que le petit déjeuner acquiert davantage d'importance. Tous les enfants ne sont pas des lève-tôt et l'horaire à respecter pour les envoyer à l'école présente de nouvelles difficultés.

Planification des repas

Étant donné que la majorité de ses premières activités tournera autour des jeux en équipe et de l'apprentissage collectif plutôt qu'autour des talents de chacun, il faut accorder un vif intérêt à la faculté d'intégration de votre enfant au groupe. Cependant, à mesure qu'il avancera en âge, se révéleront ses forces et faiblesses relatives à sa faculté d'apprentissage. Il faudra veiller à ce que ses repas lui fournissent tout ce dont il a besoin durant les heures passées à l'école. Il est parfois préférable que les enfants souffrant d'allergies ou d'intolérances alimentaires emportent leurs déjeuner et collation à l'école pour s'assurer d'un régime équilibré.

Influence des camarades

Il peut sembler improbable que l'influence de ses camarades ait des répercussions sur les habitudes alimentaires d'un enfant de cet âge mais l'inverse est vrai. À mesure que votre enfant noue des amitiés et s'intègre à un groupe avec qui il partage les mêmes centres d'intérêts et une même éducation, il rentre à la maison en posant des questions peu communes à propos des mets que vous lui servez. Il est préférable de faire preuve d'ouverture d'esprit et de ne pas lui livrer le fond de votre pensée – il se peut que le meilleur ami de votre enfant soit végétarien et qu'il ne comprenne pas les raisons qui motivent ce choix. Il vaut mieux aborder le sujet en sa compagnie et vous intéresser aux tenants et aux aboutissants de la chose plutôt que l'éluder en la jugeant ridicule. Voici une sphère importante de l'apprentissage des aptitudes sociales de votre enfant, en particulier s'il fréquente une école multiethnique où les choix alimentaires variés sont fondés sur des préceptes religieux, des convictions sociales et des restrictions.

Les enfants jugent souvent que les aliments de la cafétéria n'ont pas bon goût par rapport à la cuisine maison mais il faut que votre enfant mange au cours de la journée. À moins que la direction de l'école n'invite les parents à munir leurs enfants de boîtes-repas et d'aliments préemballés, il vaut mieux les encourager à consommer les aliments qu'on leur sert à l'heure du repas. Cela peut s'avérer une phase difficile qui donnera lieu à des privations ou des troubles alimentaires par la suite; il est donc essentiel d'aborder de front les problèmes à mesure qu'ils se présentent et ne pas baisser les bras sous prétexte qu'ils sont inévitables.

De nos jours, on discute des régimes à la mode à un plus jeune âge qu'autrefois, peut-être à cause de l'influence de la télévision, d'Internet ou

Conseil

Réveiller votre enfant 10 ou 15 minutes plus tôt que d'ordinaire lui permettra de prendre un petit déjeuner consistant, ce qui est essentiel s'il veut apprendre et profiter de l'école.

ou encore du yaourt et du miel, des fruits et des noix font d'excellentes propositions qui ne supposent aucune cuisson. Réservez les œufs pour le week-end si vous manquez de temps mais, pour les enfants qui doivent recevoir davantage de protéines (notamment ceux qui pratiquent régulièrement une activité sportive) ou avant un examen ou un récital, servez-leur des œufs brouillés sur une rôtie de pain complet et ils auront suffisamment d'énergie pour affronter la journée.

Si le trajet en direction de l'école prend plus que quelques minutes, emportez quelques fruits qu'il pourra manger dans votre véhicule sans se salir, des pommes ou des bananes par exemple, en particulier si votre enfant a peu mangé au petit déjeuner.

Vous devriez faire en sorte que votre enfant prenne son repas principal le soir. Il vous faudra peut-être revoir votre planning, en particulier si vous avez un emploi. Vous pourriez faire cuire les aliments dans une mijoteuse à faible température pendant toute la journée sans gâter leur contenu nutritif, auxquels vous n'auriez qu'à ajouter du riz, des pommes de terre et des légumes frais lorsque vous rentrez du travail. Tous les genres de plats peuvent être préparés de cette manière, des potages aux ragoûts, des viandes aux mets végétariens.

Bien que la cuisson des pâtes soit simple et rapide, celles-ci n'apportent qu'une quantité limitée d'éléments nutritifs et il faut veiller à les napper d'une sauce composée de plusieurs ingrédients pour compenser la pauvreté de leur contenu nutritionnel. Au lieu de servir simplement une sauce napolitaine, ajoutez du poulet, du jambon, de la viande, des haricots ou d'autres légumineuses à une sauce tomate afin de faire un repas complet.

Autrement, préparez une sauce au fromage à laquelle vous ajouterez du jambon, des champignons ou des haricots afin de préparer un plat complet. Servez-la accompagnée de légumes car il s'agit du seul repas où votre enfant mangera des légumes frais.

des parents. Prenez garde d'inculquer à votre jeune enfant les restrictions que vous vous imposez et prenez le temps de lui expliquer pourquoi les privations auxquelles d'autres peuvent consentir ne sont pas nécessairement pour lui. On voit souvent des enfants de cet âge décider en groupe de ne plus consommer certains aliments jugés trop gras ou dégoûtants car ils se sentent plus résolus en agissant en clan que seuls. Vérifiez que votre enfant n'a pas soudain décidé qu'il n'aimait plus tel aliment parce que son meilleur ami y avait renoncé, en particulier s'il s'agit d'un aliment sain que vous lui servez à la maison.

Petits déjeuners costauds et goûters dînatoires

Le petit déjeuner et le retour de l'école sont les deux moments où vous pouvez soigner l'alimentation de votre enfant. Étant donné que le matin tous sont pressés par le temps et que vous devez vous occuper de toute la petite famille, vous pourriez préparer le petit déjeuner le soir précédent. Il ne faut pas brusquer un enfant lorsqu'il prend son premier repas de la journée; s'il le faut, réveillez-le de 15 à 30 minutes plus tôt pour faire en sorte qu'il dispose de suffisamment de temps pour prendre un bon petit déjeuner. Une rôtie tartinée de marmelade ne suffit pas à un enfant de cet âge. Il la digérera et brûlera les éléments nutritifs avant d'être rendu à l'école.

Un enfant aime pouvoir choisir ce qu'il mangera : une macédoine de fruits, du muesli ou du porridge, du pain grillé tartiné de Marmite® ou de fromage à la crème,

Problèmes et solutions

Malheureusement, en dépit des rigoureuses règles relatives à l'hygiène dans les cuisines, aucune école n'est à l'abri d'une intoxication alimentaire et vous devez être en mesure d'en déceler les symptômes sans tarder.

Bactéries et intoxications alimentaires

Une intoxication alimentaire peut frapper gravement un jeune enfant et provoquer des vomissements et une diarrhée qui peuvent le déshydrater très rapidement et rompre l'équilibre délicat entre les minéraux qui régulent les fonctions organiques (reportez-vous à « Allergies et intolérances » aux pages 64 à 67). Une intoxication alimentaire n'a rien à voir avec des aliments qui seraient allergéniques; elle peut faire suite à la consommation d'aliments moins que frais ou qui ont été décongelés et cuits insuffisamment, de sorte que les pathogènes éventuels n'ont pas été détruits.

Une boîte-repas peut donner lieu à des problèmes particuliers car votre enfant ne consommera les aliments que trois ou quatre heures après que vous l'aurez préparée. Assurez-vous que tous les aliments sont conservés au frigo jusqu'à la dernière minute et qu'à l'école votre enfant range sa boîte-repas dans un endroit relativement frais (d'ordinaire dans un couloir qui n'est pas chauffé).

Bactéries souvent présentes dans les aliments

- Campylobacter : la bactérie que l'on trouve le plus souvent dans les aliments et qui provoque une intoxication; le plus souvent présente dans le poulet, la viande et les crustacés, elle provoque de douloureuses crampes à l'estomac et la nausée.
- Salmonelle : jugée comme la plus virulente des bactéries, bien qu'elle ne soit pas la plus répandue; elle peut provoquer une diarrhée grave, une importante perte de liquide et parfois une hausse de température, la transpiration et des étourdissements; elle peut être transmise lorsque le poulet ou les œufs ne sont pas assez cuits, ou lorsque des salades et des aliments cuits restent trop longtemps à la chaleur; il faut chercher un secours médical sans tarder si l'on craint une intoxication attribuable à la salmonelle.
- Bacillus cereus : ce type de bacille se trouve le plus souvent dans le riz cuit que l'on a conservé au chaud ou que l'on a réchauffé d'une manière inappropriée; il importe de consommer le riz aussitôt qu'il est cuit ou de le réfrigérer aussitôt qu'il a refroidi; ce bacille provoque de graves vomissements ou la diarrhée mais par chance ses effets sont de courte durée.
- Staphylocoque doré : on le trouve le plus souvent dans les gâteaux et les pâtisseries fourrées à la crème pâtissière, le jambon et le poulet; en général, il ne provoque pas de grave réaction, sinon la diarrhée.
- Listeria : on la trouve habituellement dans les fromages à pâte molle, la crème glacée et les mets précuisinés; elle provoque la diarrhée, le vomissement et la transpiration.
- Colibacille (E. coli) : on le trouve le plus souvent dans les hambourgeois et autres produits à base de bœuf qui n'ont pas été suffisamment cuits; il peut provoquer une grave diarrhée et se répandre sournoisement dans les écoles et les restaurants qui n'observent pas les règles d'hygiène les plus rigoureuses.

Remèdes proposés

Problèmes	Solutions
Rhumes et infections à répétition	Déterminez les causes précises d'une faible résistance immunitaire, augmentez la proportion de fruits et légumes frais dans l'alimentation et réduisez les sucres provenant des colas et autres aliments vides qui peuvent gêner l'absorption des éléments nutritifs; cherchez du côté des intolérances alimentaires qui peuvent provoquer l'écoulement nasal et obstruer les oreilles, par exemple les produits laitiers, les aliments à base de blé ou les œufs.
Intoxication alimentaire, diarrhée	Ne lui donnez que de l'eau et évitez de lui faire manger autre chose que du pain grillé ou des craquelins au riz et trouvez du secours médical sans tarder; l'enfant ne doit pas montrer ces symptômes pendant plus de trois ou quatre heures sans être vu par un médecin.
Manque d'énergie, fatigue, sommeil excessif	Voyez s'il souffre d'anémie (reportez-vous à la page 110); augmentez sa consommation d'aliments riches en fer, en acide folique et en vitamine B12 pour qu'il prenne du mieux, c.-à-d. des légumes à feuilles vertes et orange, des fruits séchés, du poisson, des crustacés, du foie et des œufs.
Manque de concentration	Cherchez du côté des sensibilités alimentaires qui pourraient dérégler sa glycémie. Vérifiez qu'il consomme suffisamment d'acides gras essentiels pour que sa fonction cognitive fonctionne à plein régime; augmentez sa consommation de poissons gras, de graines de tournesol et de citrouille (vous pouvez les moudre et les ajouter au porridge). Donnez-lui davantage de grains complets de sorte qu'il obtienne toute la gamme des vitamines B nécessaires au fonctionnement du cerveau et du système nerveux, en plus de protéines d'originale animale ou végétale afin de stimuler la transmission de l'information.
Faiblesse physique, manque de résistance	Vérifiez ses habitudes alimentaires pour vous assurer qu'il prend régulièrement ses repas. Augmentez pendant plusieurs jours sa consommation de glucides complexes jusqu'à ce qu'il ait retrouvé son entrain habituel. Vérifiez ses selles pour vous assurer qu'il digère et absorbe bien ses aliments. Augmentez sa dose de vitamines B pour qu'il dispose des éléments nutritifs nécessaires à la production d'énergie : porridge d'avoine, muesli, craquelins de seigle, riz brun, légumes à feuilles vertes, poisson, poulet et œufs.

L'enfant qui refuse de manger

À observer les résultats scolaires de votre enfant et à voir s'il revient las ou non de l'école, vous vous ferez une idée précise de la qualité de son alimentation. Peu importe qu'il refuse de manger sous prétexte que les aliments qu'on lui propose à la cafétéria sont inintéressants ou mauvais au goût, ou en raison de l'influence de ses camarades, votre enfant ne parviendra pas à se concentrer et à exercer sa mémoire s'il ne mange pas au cours de la journée. Vous devez donc comprendre les raisons qui motivent son refus mais la solution doit être déterminée dans le cadre de discussions avec l'enfant ou avec la direction de son école, voire les deux.

Essayez de voir si ce refus de manger est attribuable à quelque chose qui se passe à l'école. Ainsi, un enfant rudoyé ou mis de côté par ses camarades peut perdre l'appétit. De même s'il fait l'objet de plaisanteries (si on lui dit qu'il est plus gros que les autres), ce qui modifiera rapidement son rapport aux aliments.

Ne peut se concentrer/ne tient pas en place C'est à cet âge que peuvent apparaître les premiers indices de l'hyperactivité. Si votre enfant s'est toujours montré très actif, voire un peu turbulent à la maison, cela ressortira davantage à l'école où il lui sera impossible de rester sagement assis toute la journée. Dans ce cas, vous devriez consulter un médecin ou un spécialiste sans tarder. Voyez si les indices permettant de discerner l'hyperactivité (pages 70 et 71) vous sont familiers. Votre enfant pourrait être sensible à certains aliments ou additifs et substances chimiques qu'il consomme régulièrement et qu'il faudra identifier avant que son comportement vienne à changer.

Menus planifiés

À l'âge qu'il a, votre enfant prend des repas complets et réguliers, probablement à raison de quatre par jour, plutôt que trois. Je conseille de servir un léger goûter aux enfants lorsqu'ils rentrent de l'école avant le dîner mais, si cette habitude cadre mal avec votre mode de vie, faites en sorte de les accueillir avec quelques morceaux de fruit, des noix ou des graines et une tablette aux flocons d'avoine. Les enfants de cet âge rentrent souvent de l'école épuisés avec une faim de loup. Pas étonnant que tant de remarques grincheuses soient échangées au cours du retour à la maison!

Garnitures de sandwiches

Un pita de blé entier est beaucoup plus nourrissant que le pain blanc avec lequel on fait d'ordinaire les sandwiches.

- Jambon, laitue, concombre (avec germes de luzerne si l'enfant aime) et mayonnaise
- Tranches de poulet et pesto de tomates séchées au soleil
- Fromage à la crème et cresson ou jeunes pousses d'épinard et tranches de tomate
- Hommos et graines germées (pour les végétariens)
- Thon apprêté avec de la crème fraîche, du concombre concassé ou de la laitue râpée
- Tranches de dinde minces avec sauce aux canneberges et poivron rouge concassé
- Tranche de cheddar, d'édam ou d'emmenthal avec de la roquette, du cresson ou de la laitue

Faites des combinaisons à partir des aliments qui se trouvent au frigo et proposez à votre enfant de faire ses propres variantes.

Donner des sucreries ou du chocolat à votre enfant lorsqu'il revient de l'école lui apportera un regain de vitalité mais vous aurez du mal à lui demander de s'asseoir et de faire ses travaux scolaires lorsque sa glycémie chutera 20 ou 30 minutes plus tard.

Donnez-lui des fruits frais et des crudités dans l'auto, accompagnés de fromage frais ou d'une trempette (pages 148-149).

Une boîte-repas invitante

En de nombreuses écoles, les parents doivent prévoir les repas de leurs enfants. On trouve à présent une vaste sélection de boîtes-repas attrayantes, bien pourvues d'aliments prêts-à-servir trop salés ou sucrés qui ne font qu'exacerber les tempéraments hyperactifs. Votre enfant a besoin d'un repas nutritif au mitan de la journée qui lui permettra de passer un après-midi fructueux.

La boîte-repas idéale contient trois ou quatre aliments différents qui titillent l'œil et les papilles gustatives, et qui apportent à l'enfant quantité d'éléments nutritifs. Vous pourrez préparer la boîte-repas la veille au soir et la ranger au frigo pendant la nuit.

Principaux ingrédients :

Morceaux de fruit : les pommes, les bananes, les poires, les pêches ou les nectarines fermes, les abricots, les oranges ou les satsumas sont autant de fruits qui ne s'abîmeront pas ou ne s'écraseront pas à l'intérieur d'une boîte-repas.

Bâtonnets de légumes crus : carottes, céleri, poivrons rouges et verts, petits concombres, tomates cerises, maïs sucré, pointes d'asperges, haricots verts servis avec une trempette (pages 148-149).

Sandwich : les enfants adorent les demi-pitas fourrés de garnitures de leur choix (reportez-vous à la page ci-contre).

Afin de varier le menu : soupes (p. ex. au poulet ou aux haricots toscans), yaourt fermier avec une larme de miel, crème caramel ou pouding au riz.

Menus de la semaine entre 4 et 7 ans

JOUR 1

Petit déjeuner Muesli avec yaourt nature ou lait de riz (mis à tremper pendant la nuit dans un liquide composé à moitié d'eau et d'autant de jus de pomme afin de rehausser son goût naturellement sucré), ajoutez un yaourt ou un autre produit laitier et quelques fruits frais. Verre de jus de fruit allongé de 50 pour cent d'eau

Déjeuner Hachis Parmentier avec pois et brocoli ou fèves en pot et pain complet (page 138). Morceau de fruit ou yaourt nature avec purée de fruit

Après-midi Fromage blanc ou à la crème sur pain de seigle avec de petites grappes de raisin

Dîner Tagliatelle au thon (page 150) ou pâtes nappées de sauce tomate et de lentilles si l'enfant est végétarien. Pêches et bananes en crème pâtissière (page 144)

JOUR 2

Petit déjeuner Œufs brouillés (page 136) ou durs avec pain complet grillé (taillé en lanières pour les tout-petits). Une rôtie de plus tartinée de Marmite®, de Vegemite® ou de marmelade peu sucrée. Verre de lait ou jus de fruit allongé d'eau

Déjeuner Pomme de terre au four et thon (frais ou en conserve) avec carottes et courgettes. Poire et glace à la vanille

Après-midi 1 tasse de maïs éclaté (fait maison de préférence) sans sucre ajouté

Dîner Orzo avec salsa de champignons page 150)

JOUR 3

Petit déjeuner Porridge d'avoine avec fruits (page 134) avec fruits frais et amandes blanchies (faites tremper les flocons d'avoine pendant la nuit pour réduire le temps de cuisson). Verre de jus de fruit allongé d'eau

Déjeuner Macaronis au fromage (pâte de blé) ou soupe au poulet et aux lentilles (page 137) avec pain complet. Morceau de fruit

Après-midi Beurre aux noix (amandes ou cajous) sur craquelins de riz ou pain grillé

Dîner Hambourgeois de haricots (page 138) avec maïs sucré et riz. Bombe aux pommes (page 145)

JOUR 4

Petit déjeuner Haricots cuits au four (à faible teneur en sucre) sur toast de pain complet. Verre de lait

Déjeuner Poulet ou tofu avec riz (page 142). Yaourt bio avec fruit frais et miel

Après-midi Muffin aux carottes (page 146)

Dîner Macaronis du pêcheur (page 141). Fruit

JOUR 5

Petit déjeuner Flocons de maïs avec banane concassée et raisins secs. Toast de pain complet tartiné de Marmite® ou de Vegemite®. Verre de jus de fruit allongé d'eau

Déjeuner Pizza à la polenta garnie au goût (page 151). Pouding au riz et aux fruits (page 146)

Après-midi Yaourt avec fruit ou céréales granola (page 135)

Dîner Côtelettes d'agneau (142) ou tempeh mariné s'il l'enfant est végétarien avec purée de courge musquée et frites

JOUR 6

Petit déjeuner Riz et compote de fruit (page 135). Verre de jus de fruit allongé d'eau, toats de pain complet et marmelade

Déjeuner Farfalle au jambon et aux pois (page 140). Sucette glacée (page 147)

Après-midi Trempette aux haricots rognons, à la tomate et à la moutarde (page 149) et crudités

Dîner Œufs sur pain de seigle (page 151). Crème glacée ou tofu glacé

JOUR 7

Petit déjeuner Muffin aux carottes (page 146). Fromage frais. Verre de jus de fruit allongé d'eau

Déjeuner Cari de bœuf (page 143). Tourbillon aux fruits (page 147)

Après-midi Morceau de fruit frais et crêpes aux dattes et à l'avoine (page 145)

Dîner Sandwich au pita (reportez-vous à la page ci-contre). Lait frappé (passez des fruits frais au mélangeur)

Éléments nutritifs utiles au développement

Biotine
Bore
Calcium
Matières grasses essentielles
Magnésium
Manganèse
Sélénium
Vitamine E
Zinc

Cette phase stimulante voit votre enfant se transformer en un jeune adulte, marquée par de brusques changements aux niveaux hormonal et sexuel, ainsi que par des exigences énormes en rapport au développement de son cerveau, à ses aptitudes sociales et à l'activité physique. Se nourrir comme un adulte procure à votre enfant toute la gamme d'aliments et d'éléments nutritifs dont il a besoin pour s'adapter à autant de changements.

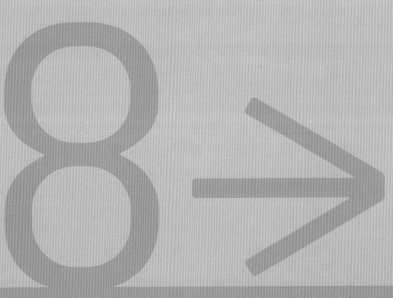

De 8 ans à la puberté

Stades de développement

La transition entre l'enfance et l'adolescence semble survenir du jour au lendemain. Combien de fois entend-on un parent s'exclamer : « Hier encore, c'était un gamin ! » Une bonne part de la croissance et de la cicatrisation des tissus organiques survient pendant le sommeil (l'une des nombreuses raisons pour lesquelles il importe de bien dormir), mais la transformation d'un enfant en adolescent s'opère à grande vitesse.

Petit enfant devient grand

La transformation la plus évidente tient peut-être à la taille ou aux formes qui changent. La croissance s'opère par poussées qui ne se manifestent pas à des moments établis d'avance, ce qui frustre souvent les frères et sœurs qui se suivent en âge, le plus jeune étant parfois plus grand que le plus vieux. La croissance physique ne va pas de pair avec le développement intellectuel; ce sont les hormones qui dictent le passage de l'enfance à l'adolescence.

Un gamin de huit ans reste encore un enfant mais il peut développer des organes sexuels primaires et secondaires en l'espace de deux ans; des fillettes ont leurs premières règles à l'âge de neuf ou dix ans. Si la chose reste rare, il semble que les jeunes parviennent à la maturité sexuelle à un plus jeune âge qu'il y a un demi-siècle, bien que nous ne comprenions pas vraiment pourquoi.

Rififi chez les hormones

Le développement des organes sexuels peut survenir très rapidement et bon nombre d'enfants cherchent à se couvrir, les fillettes alors que se forment leurs seins et les garçons lorsque leurs organes génitaux deviennent évidents.

Le premier indice du développement sexuel d'un jeune garçon se voit en général à l'apparition de poils sur son visage, son corps et son pubis. Il ne faut pas trop y prêter attention pour éviter d'embarrasser le garçon; n'oubliez pas qu'il tente probablement d'assimiler ces transformations. De plus, sa voix peut commencer à muer, ce qui peut ajouter à son embarras, surtout lorsque des parents bien intentionnés le taquinent à ce sujet.

Chez une jeune fille, les premières transformations touchent sa silhouette : ses hanches s'arrondissent et ses seins augmentent de volume alors que des poils apparaissent à ses aisselles et autour de son sexe. Chez celles qui sont menstruées à un jeune âge, les transformations physiques surviennent en général à un rythme rapide alors que celles qui ont leurs règles à un âge plus avancé voient plus tard leur corps prendre des formes plus féminines. Quelques-unes éprouvent des douleurs lors de leurs premières règles, en particulier celles dont la mère a souffert de troubles hormonaux tels que des léiomyomes, une endométriose ou le syndrome de Stein-Leventhal.

Fluctuations d'humeur

Les crêtes et les creux qui marquent les fluctuations d'humeur se dessinent à la rapidité des transformations physiques. Voici la première de nombreuses transitions d'importance chez l'adolescent et cela ne va pas sans difficulté. Si votre enfant devient soudain obstiné, ergoteur, intransigeant, voire difficile, vous pourriez en chercher la cause du côté de l'apparition de sa sexualité plutôt que de l'affirmation de soi. En lui expliquant la situation de votre point de vue, vous éviterez de rompre la communication entre vous.

Donnez-lui à réfléchir

De telles perturbations de l'équilibre intérieur provoquent immanquablement des changements d'ordre alimentaire. Vous vous rendrez compte que l'enfant préfère certains aliments (qui n'ont souvent rien de sain) et vous l'invitez à soigner ses habitudes alimentaires, notamment s'il prend trop de poids ou s'il se montre insatisfait de sa taille ou de sa silhouette. Il est alors plus facile de lui faire voir un diététiste ou un spécialiste de l'alimentation qui saura mieux qu'un parent inquiet lui expliquer les raisons pour lesquelles il doit faire de meilleurs choix alimentaires.

Être bien dans sa peau

Plus les transformations hormonales se produisent rapidement, plus la peau de l'enfant risque d'en pâtir, d'autant que les éruptions cutanées seront exacerbées, le cas échéant, par de piètres habitudes alimentaires et une consommation excessive de sucre. Il n'y a pas lieu de s'inquiéter de quelques éruptions et d'une peau grasse, qui sont normales. Par contre, l'acné juvénile demande des soins, d'autant qu'elle peut entraîner de graves troubles psychologiques. Plutôt que faire l'essai d'une myriade de produits publicisés à la télé, intéressez-vous aux causes de ces éruptions.

L'alimentation peut grandement contribuer au soulagement des affections cutanées, en particulier si votre enfant ne tolère pas certains aliments. Il faut souvent chercher les coupables du côté des produits

laitiers, des agrumes et des œufs, en plus des produits trop sucrés et de ceux qui contiennent des additifs et des colorants. Si votre enfant était sensible à certains aliments alors qu'il était petit, qu'il souffrait d'eczéma ou d'autres troubles cutanés, son alimentation est peut-être l'une des responsables (pas la seule) de la situation. Voyez si les choses s'améliorent lorsque vous retirez ces aliments du menu; vous pourriez lui épargner ainsi des années d'embarras. Il y aurait aussi lieu de voir si l'enfant souffre d'une carence en zinc (reportez-vous à « Des aliments pour les grands » aux pages 122-123).

Os et structure

À mesure que changent les formes et la taille de votre enfant, il en va de même de sa structure osseuse. À cette étape, les os atteignent leur maturité et l'alimentation doit apporter quantité d'éléments nutritifs nécessaires à la calcification des os.

Les enfants se plaignent souvent de ce que les parents appellent les douleurs de croissance mais il s'agit plus précisément de l'intensification de la densité osseuse. Il importe alors que votre enfant pratique beaucoup d'activités physiques et la recherche démontre qu'un fort pourcentage d'enfants pratique moins d'une heure d'exercice physique au cours d'une journée. Incitez votre enfant à prendre part à des tas d'activités physiques qui permettront à son corps de s'épanouir au mieux de sa forme.

Des aliments pour les grands

À ce stade, il n'est plus nécessaire que les repas que vous servez à vos enfants soient différents des vôtres et vous devriez prendre vos repas en famille, dans la mesure du possible. Votre enfant peut avoir meilleur appétit que vous, en particulier pendant une poussée de croissance. Il convient de l'encourager à manger à sa faim car son développement sur plusieurs plans en dépend.

L'importance des matières grasses

Les matières grasses essentielles contribuent au développement des organes sexuels et à la production hormonale, en plus de veiller à la souplesse et à la douceur de la peau. Les enfants dont l'alimentation est pauvre en matières grasses risquent de voir leur développement retardé ou compliqué sans même que leurs parents ne soient conscients des répercussions d'une telle restriction. Les gras saturés que l'on trouve dans les sachets de croustilles, les miettes de bacon et autres grignotines gênent l'utilisation des matières grasses utiles et les enfants éprouvent souvent une envie irrésistible de consommer ce genre d'aliments sans savoir qu'en fait leur organisme a envie de leur version santé.

L'enfant de cet âge doit consommer toutes les variétés de poisson et, s'il ne semble pas apprécier le poisson, il pourra tirer les mêmes matières grasses essentielles des noix, des graines et de leurs huiles. Ajoutez une variété de noix et de graines aux céréales du petit déjeuner ou à du yaourt et à des compotes de fruit; ainsi, vous serez assurés que votre enfant consomme des matières grasses essentielles. Bon nombre de fillettes évitent de manger des noix sous prétexte qu'elles font grossir sans comprendre leurs avantages. Les deux catégories d'aliments sont également riches en vitamine E, essentielle à la santé de la peau.

Non aux régimes pauvres en lipides

À cet âge, il faut également tenir compte de la prise de poids. Si votre enfant était potelé durant sa petite enfance, il peut escompter perdre ses rondeurs à l'adolescence pour se rendre alors compte qu'il prend du poids en raison des changements hormonaux. Il ne doit cependant pas supprimer toutes les matières grasses de son alimentation dans l'espoir de perdre du poids, car les matières grasses essentielles assurent le retrait du gras emmagasiné dans les tissus adipeux (les zones où se concentrent les cellules de graisse).

L'importance du zinc

Le zinc est l'un des minéraux les plus utiles à l'organisme qui contribuent à plus de 200 fonctions enzymatiques. Il tient une place prépondérante au moment de la croissance dans le développement des organes sexuels et la production des hormones sexuelles.

Les jeunes adolescents souffrent souvent d'une carence en zinc car leur organisme en consomme davantage qu'ils n'en tirent de leur alimentation quotidienne. On perçoit un signe évident de carence en zinc lorsque des mouchetures blanches apparaissent sur les ongles, notamment lorsqu'un adolescent aborde sa phase de maturité sexuelle et qu'il commence à produire du sperme, la formation de spermatozoïdes étant tributaire du zinc. Prévoyez aux menus quantité de viande rouge, de poulet, de poisson, de crustacés, qui sont tous riches en zinc, ou encore des grains complets, des légumineuses, des noix et des graines si vous êtes végétariens.

Le zinc est également nécessaire à la réparation et à la cicatrisation de tous les tissus, et la santé de la peau lui doit beaucoup. Lorsque la cicatrisation est lente ou mauvaise, il faut donner des suppléments quotidiens de zinc en plus des aliments qui en sont riches.

La vitamine C agit conjointement avec le zinc; il faut donc prévoir quantité d'aliments qui en sont riches, notamment des baies rouges, des pommes de terre, du brocoli et du chou. Évitez les boissons aux agrumes si un adolescent a des troubles cutanés car il semble que les agrumes soient un irritant et qu'ils aggravent cet état.

Perfection protéique

Les protéines forment les composants de tous les organes et tissus de l'organisme. Il est toutefois préférable de favoriser la consommation de protéines maigres plutôt que leur offrir de la viande qui contient quantité de gras ou des aliments frits qui sont certes agréables au goût mais qui sont moins nutritifs que leurs équivalents santé.

Étant donné que la plupart des protéines contiennent quantité de calcium (présent dans les produits laitiers, les noix, la viande rouge, les jaunes d'œufs et la volaille), vous devriez inscrire en nombre ces aliments aux menus pour que vos enfants disposent de tous les éléments nutritifs et minéraux utiles à la formation des tissus osseux. Le magnésium est nécessaire à l'absorption du calcium dans les os; on le trouve principalement dans les grains complets, les légumineuses et les légumes à feuilles vertes. À l'approche de l'adolescence, les enfants ne consomment pas suffisamment de légumes frais; ajoutez-en aux potages et aux sandwiches, aux tartinades et aux trempettes pour vous assurer d'un apport quotidien.

Problèmes et solutions

Les problèmes qui surviennent au cours de cette période relèvent principalement de la croissance et de la maturité, lesquelles peuvent survenir trop vite ou trop lentement, auquel cas l'enfant se trouve isolé, parce que différent, de ses camarades.

Conseil
Les enfants dont l'alimentation est limitée encourent davantage le risque de connaître un trouble de développement — au niveau de la taille, du gain pondéral ou de l'insuffisance pondérale chronique.

Régimes stricts

Il me semble ironique qu'en présence de la diversité des produits qui nous parviennent de tous les continents certains mangent toujours la même chose. L'arrivée des plats précuisinés a modifié notre rapport à la préparation des repas à partir des restes et de nombreux parents occupent désormais des emplois à plein temps. L'art ménager ne s'enseigne plus à l'école et les adolescents ne connaissent donc pas les avantages inhérents à la préparation de repas à partir d'aliments frais. Il est souvent meilleur marché de se procurer des barquettes d'aliments préconditionnés que l'ensemble des ingrédients nécessaires à une recette. Devant la popularité grandissante des achats en ligne, on ne voit les aliments qu'à l'écran, avec pour résultat que l'on considère les repas comme une activité nécessaire à la survie plutôt qu'un moment agréable passé en famille.

Bouffe et bonne humeur

Alors que votre enfant approche de la puberté, il connaîtra un cycle apparemment sans fin de crêtes et de creux émotifs. Cette situation sera exacerbée chez ceux dont l'alimentation repose sur la malbouffe et les aliments transformés, suscitant irascibilité et agressivité (reportez-vous à « Sucre et épices » aux pages 38 à 41). Un régime composé de colas, de céréales très sucrées, de gâteaux et de grignotines aura des répercussions sur la faculté de concentration de l'enfant et sur ses résultats scolaires. Le sucre, les colorants artificiels, les édulcorants et les additifs alimentaires peuvent franchir la barrière entre le sang et le cerveau (la barrière hémato-encéphalique), ce qui joue ensuite sur la perception que l'enfant a de lui-même et des autres.

Toutes les hormones produites par l'organisme agissent en tandem avec d'autres; aussi, si la glycémie est constamment élevée, cela entraîne un effet de contagion à la baisse qui gêne l'équilibre fragile du métabolisme, du développement sexuel et de la prise en charge du stress.

La bonne humeur est tributaire d'aliments frais qui doivent composer la majeure partie du régime alimentaire. Il faut compter au minimum une portion quotidienne de matières grasses essentielles tirées du poisson, des noix, des graines ou de leurs huiles. Les beurres de noix font parfaitement l'affaire car ils sont pratiques et alléchants. Le dosage à chaque repas et goûter entre les protéines et les glucides complexes assurera un taux de glucose sanguin uniforme, ce qui repoussera les excès de bouderie, d'irascibilité et de brusquerie qui se manifestent à l'aube de l'adolescence.

Remèdes proposés

Problèmes	Solutions
Sautes d'humeur, absence de concentration	Retrouvez l'équilibre de sa glycémie en haussant sa consommation de glucides complexes, de fibres et de protéines, et en réduisant celle de la malbouffe et des sucreries.
Gain pondéral excessif	Cherchez-en les causes, qu'elles soient physiques, hormonales ou émotionnelles. Supprimez de son alimentation bon nombre d'aliments transformés ou riches en sucre pour les remplacer par des protéines (présentes dans le poulet, la viande maigre, les œufs et des quantités modérées de noix et de graines). Envisagez la possibilité que les hormones jouent sur le rythme métabolique et faites prendre davantage d'exercice à votre enfant.
Insuffisance pondérale	Envisagez la possibilité qu'il s'impose des privations ou qu'il ne mange pas suffisamment à l'école. Ajoutez davantage de glucides complexes, qui lui apporteront de l'énergie et serviront à consolider ses muscles, et quelques matières grasses. Assurez-vous qu'il mange avec régularité, même lorsqu'il n'est pas à la maison.
Petite taille	Vérifiez sa consommation de protéines et donnez-lui davantage de produits laitiers, d'œufs, de volaille, de viande, de légumineuses, de noix et de graines. Ajoutez à cela des suppléments de zinc, de magnésium et de calcium sur les conseils d'un diététiste.
Développement rapide des organes sexuels	Donnez-lui quantité d'aliments riches en zinc (reportez-vous à la page 155) que l'on trouve notamment dans le poulet, les œufs, le poisson, les crustacés, les grains complets, les graines et les noix, et qui tous lui fourniront également les matières grasses essentielles qui tiendront les hormones en équilibre et veilleront à la santé de sa peau.
Douleurs lors des premières règles	Le magnésium soulage les crampes musculaires qui provoquent les douleurs au moment des règles. On en trouve dans les légumes à feuilles vertes, les amandes, les figues, les tomates, l'ail, l'oignon, le poulet et le chocolat teneur élevé de cacao.
Peau tachetée, acné	Le zinc est essentiel à la cicatrisation du derme et de l'épiderme, en plus d'atténuer l'acné provoquée par les changements hormonaux. Supprimez de son alimentation toutes les grignotines salées et sucrées, voyez combien il consomme de produits laitiers, de tomates et d'agrumes pour tenter de déceler une intolérance (en raison de leur taux élevé d'acidité). Sa consommation d'eau doit passer à 1,5 litre (2 1/2 pintes) par jour et évitez les jus de fruit concentrés.
Pilosité excessive chez une fille	Demandez à un médecin d'évaluer son niveau hormonal. Une pilosité abondante indique généralement un déséquilibre à ce niveau.
Fatigue sans raison	Voyez s'il consomme suffisamment d'aliments différents et donnez-lui des vitamines B pour raviver son entrain sous forme de céréales de grains complets, de riz, de légumes à feuilles vertes, de poisson, de yaourt, de fromage, de viande maigre, de poulet et d'œufs.

À fleur de peau

Étant donné que les changements hormonaux risquent de faire surgir des boutons, voire de l'acné à l'adolescence, vous devriez discuter ensemble des soins de la peau et du visage. Aucune crème, lotion ou gommant n'apportera les effets bienfaisants attribuables à une grande consommation de légumes frais, de quelques fruits frais et d'une grande quantité d'eau. Invitez votre enfant à réduire sa consommation de chocolat, de colas et d'autres produits sucrés.

On prescrit souvent des antibiotiques pour traiter les poussées d'acné graves mais cela ne fait que masquer le problème et perturbe le système digestif car les antibiotiques éliminent toutes les bactéries au niveau des intestins, bonnes et mauvaises. Dans un premier temps, vous devriez envisager la possibilité d'une intolérance à certains aliments ou d'un déséquilibre entre les taux d'acidité et d'alcalinité, ce qui pourrait ramener la gravité du problème à un niveau plus acceptable sans que l'enfant n'ait à prendre de médicament.

Menus planifiés

Les enfants d'aujourd'hui croissent à un rythme plus rapide que ceux de la génération précédente et bon nombre parmi eux prennent conscience des transformations physiques qui s'opèrent en eux à un plus jeune âge. Les fillettes mettent de côté leurs poupées vers six ou sept ans pour se tourner vers des jeux et des passe-temps fondés sur la communication comme leur en offrent les téléphones portables et les ordinateurs. La télévision met les enfants en contact avec des gens beaucoup plus âgés qu'eux et ils peuvent imiter leurs comportements.

Festin dans un frigo

- Jambon
- Poulet
- Tranches de bœuf ou d'agneau maigre
- Fromages tels que cheddar, édam, emmenthal, gouda et parmesan
- Filets de thon ou de saumon cuits
- Crustacés – crevettes cuites avec leur carapace
- Viandes fumées (pour satisfaire les envies de sel)
- Yaourt nature (bio)
- Beurres de noix
- Plats à base de lentilles cuites (p. ex. le dalh)

Les colas sont à bannir. Ils ne contiennent absolument rien de bon. Pour les remplacer, mélangez au choix jus de pomme, de poire, de canneberges, de pêche ou de mangue avec de l'eau gazéifiée.

Des aliments sains

Assurez-vous que votre enfant ne succombe pas à une envie irrésistible de consommer des croustilles, des grignotines, des colas et autres ambassadeurs de la malbouffe car ces derniers sont responsables des boutons, de la prise de poids et des vilaines sautes d'humeur.

Les changements hormonaux qui surviennent à un rythme rapide provoquent souvent une envie d'aliments fortement salés ou porteurs de fausse énergie. Cela indique que l'enfant a besoin de plus de zinc car le développement des hormones mâles et femelles dépend de ce minéral en particulier, que l'on trouve dans les aliments riches en protéines tels que les crustacés, le poulet, la viande rouge et les grains complets. Le moment est donc venu d'accroître la consommation d'aliments riches en protéines plutôt qu'en glucides car les changements d'ordre physique et émotionnel sont plus perceptibles à présent.

Soupes

Tous les enfants n'aiment pas la soupe mais, si le vôtre l'apprécie, vous devriez lui acheter une bouteille isolante pour qu'il puisse manger quelque chose de chaud à midi pendant la froide saison. La soupe aux tomates a souvent la préférence des enfants mais seule elle ne fait pas un déjeuner. Ajoutez-lui des haricots rognons ou des pois chiches et passez-la au mélangeur jusqu'à ce que sa texture soit veloutée pour infuser une bonne dose de protéines à cette soupe comme aux autres. Autrement, les soupes aux nouilles et au poulet, au jambon et aux pois ou aux haricots toscans offrent une bonne quantité d'éléments nutritifs par tasse. Nombre des soupes vendues dans les supermarchés sont excellentes au goût et sont exemptes d'additifs et d'agents de conservation.

Desserts

Encouragez votre enfant à manger une part de fruit frais. Vous pouvez même ajouter un dessert de temps en temps en guise de gâterie, sans que cela ne soit la norme. Quoi de plus facile le matin que de mélanger du yaourt nature bio à du miel et des fruits frais ? Ce dessert se conservera sans danger dans la boîte-repas jusqu'à l'heure du déjeuner pourvu que ce soit à fraîche température.

JOUR 1

Petit déjeuner Œufs brouillés (page 136) et rôtie de pain complet. Verre de jus de pomme allongé d'eau

Déjeuner Macaronis du pêcheur (page 141) avec salade de verdures. Pêches fraîches ou pochées

Après-midi Craquelins et beurre de noix

Dîner Hambourgeois de haricots (page 138) et légumes sautés au miel (page 140)

Collation Crudités et trempette à l'avocat

JOUR 2

Petit déjeuner Céréales granola (page 135). Verre de jus de fruit allongé

Déjeuner Tranches de jambon maigre avec salade de tomate, avocat et cresson ou soupe aux pois et au jambon avec pain complet

Après-midi Fromage blanc sur craquelins de riz ou tranches de pomme crue

Dîner Farfalle au jambon et aux pois (page 140), jeunes pousses d'épinards ou haricots verts. Macédoine de fruits frais

Collation Crudités et trempette au poivron rouge et aux haricots de Lima (page 149)

JOUR 3

Petit déjeuner Boisson fouettée faite d'une banane, mangue ou pêche, d'amandes ou noisettes, de graines de citrouille et de tournesol, de lait et de yaourt bio. Crêpes de sarrasin (page 136)

Déjeuner Fèves en pot (page 138) et riz brun. Bombe aux pommes avec fromage frais (page 145)

Après-midi Fruits séchés mélangés à des noix. Verre de jus de fruit dilué

Dîner Côtelettes d'agneau (page 142) ou hambourgeois de tempeh et soja avec purée de légumes (page 139). Pouding au riz et aux fruits (page 146)

Collation Fruit frais

JOUR 4

Petit déjeuner Porridge d'avoine avec fruits (page 134) auquel vous ajoutez des noix et des graines. Verre de jus de fruit

Déjeuner Œufs sur pain de seigle (page 151) avec une tranche de jambon. Tourbillon aux fruits (page 147)

Après-midi Muffin aux carottes (page 146). Verre de lait

Dîner Cari de bœuf pour les ados (page 143) avec riz et légumes frais. Morceau de fruit.

Collation Craquelins avec beurre de noix

JOUR 5

Petit déjeuner Flocons de maïs ou riz soufflé avec raisins secs, fromage frais et pomme concassée. Rôtie de pain complet avec marmelade peu sucrée. Verre de jus de fruit allongé d'eau

Déjeuner Orzo avec salsa de champignons (page 150), salade de verdures et vinaigrette à l'huile d'olive

Après-midi Galette aux dattes et à l'avoine (page 145) et une grappe de raisin

Dîner Tikka au poulet avec riz ou dalh ou cari de légumes avec riz, poppadums et chutney de mangues

Collation Crudités et trempette de pois chiches et de pesto vert (page 149)

JOUR 6

Petit déjeuner Deux œufs pochés sur rôtie de pain complet avec une tranche de jambon ou de bacon, tomates grillées. Verre de lait ou jus de fruit allongé d'eau

Déjeuner Tagliatelle au thon (page 150). Sucette glacée maison (page 147)

Après-midi Fruit ou poignée de noix

Dîner Ragoût de poulet et légumes avec purée de patate douce et pois mange-tout

Collation Galette aux dattes et aux pommes (page 145)

JOUR 7

Petit déjeuner Compote de riz et de fruit (page 135). Verre de lait ou lait fouetté avec un fruit frais

Déjeuner Crevettes grillées ou filet de poisson grillé avec macédoine de légumes-racines grillés et riz

Après-midi Muffin aux carottes (page 146)

Dîner Pizza à la polenta (page 151) avec salade composée. Pêches et bananes en crème pâtissière (page 144). Verre de jus de fruit allongé d'eau

Collation Fruit frais

SECTION 3
Recettes alléchantes pour poupons et enfants

Ses premiers aliments

L'âge auquel on sèvre un enfant varie selon les individus (reportez-vous à
« Le sevrage : mode d'emploi » aux pages 80 et 81) parce que certains croissent
plus rapidement que d'autres et qu'il leur faut de bonne heure davantage que du
lait. Le tableau de planification des repas entre la naissance et l'âge de six mois
(reportez-vous aux pages 84 et 85) indique à quels moments introduire les
premières purées alors que l'on nourrit encore l'enfant au biberon.

Premiers aliments

■ Fruits: les deux premières
semaines, donnez-lui de la purée
de pomme ou de poire, après
quoi vous introduirez les abricots
et les pêches, puis les melons
(de toutes les variétés), les
nectarines, les papayes, les kiwis,
les prunes, les bananes, les
pruneaux, les mangues, les cerises,
les framboises et l'avocat.

■ Légumes: la patate sucrée, les
courgettes, le chou-fleur, le brocoli,
les carottes, le panais, les poireaux,
le céleri, les pois, les épinards, les
tomates, les poivrons sucrés (rouges
et jaunes), la citrouille et la
courge musquée.

■ Les grains et les légumineuses :
riz brun (ou riz pour enfants), millet,
avoine, orge, quinoa, blé (mais pas
avant neuf mois), polenta (de maïs),
semoule, lentilles, haricots de Lima,
flageolets et pois cassés.

Les purées

Les premiers aliments que vous donnez à votre enfant doivent avoir
la consistance d'une purée semi-liquide sans aucun grumeau. Il faut lui
présenter un nouvel aliment à la fois tous les trois ou quatre jours afin
de voir s'il est intolérant à quelque chose (si paraissent des rougeurs,
si son visage devient tout rouge ou s'il a des démangeaisons aux bras
ou aux jambes). N'oubliez pas de lui faire humer les aliments avant de
les lui faire goûter; il s'agit pour lui d'une nouvelle expérience à laquelle
il devra s'habituer. Les premiers aliments doivent être doux au goût et
faciles à digérer; voyez à gauche la liste des aliments conseillés. Chaque
purée doit être fraîchement préparée mais vous pourrez en faire de
grandes quantités lorsqu'il sera établi que votre enfant apprécie ceci
ou cela.

**Chaque recette prévoit quatre portions raisonnables
ou deux généreuses, si l'enfant est plus âgé.**

Purées de premiers fruits et légumes

Purée de poire (ou d'un autre fruit)

2 poires mûres de taille moyenne
2 cuillerées à soupe d'eau

■ Pelez et concassez les poires en prenant soin de retirer tous les
pépins.
■ Déposez-les avec l'eau dans une casserole à fond épais et laissez
mijoter jusqu'à ce que les fruits amollissent et aient absorbé presque
toute l'eau (10 minutes environ).
■ Réduisez en purée et laissez refroidir avant de servir.

Purée de carottes [ou d'un autre légume]

2 carottes de taille moyenne
3 à 4 cuillerées à soupe d'eau

- Rincez soigneusement les carottes et pelez-les après avoir taillé leurs extrémités.
- Hachez-les finement et déposez-les avec l'eau dans une casserole à fond épais. Laissez-les cuire à feu doux pendant 15 minutes ou jusqu'à ce qu'elles aient amolli.
- Réduisez en purée et laissez refroidir avant de servir.

Purée aux trois fruits

2 abricots séchés (trempés dans l'eau pendant la nuit)
1 pomme moyenne
1 pêche
2 cuillerées à soupe d'eau

- Conservez l'eau de trempage des abricots afin de faire cuire la pomme.
- Rincez, pelez et évidez la pomme, puis faites-la mijoter lentement dans l'eau de trempage jusqu'à ce qu'elle amollisse (de 10 à 12 minutes).
- Taillez la pêche en quartiers, puis faites-les tremper dans de l'eau bouillante pendant une ou deux minutes afin que la peau amollisse; pelez-la à l'aide d'un couteau d'office.
- Réduisez tous les fruits en purée en ajoutant de l'eau s'il le faut pour obtenir la consistance voulue. Laissez refroidir avant de servir.

Purée aux trois légumes

1 pomme de terre de taille moyenne
6 cuillerées à soupe d'eau
225 g (8 oz) de morceaux de brocoli
225 g (8 oz) de feuilles de mini-épinards

- Pelez la pomme de terre et taillez-la en petits dés.
- Déposez-les dans une casserole avec l'eau et laissez-les mijoter à feu doux pendant cinq minutes.
- Déposez les morceaux de brocoli dans un cuiseur par-dessus les pommes de terre et poursuivez la cuisson pendant dix minutes; ajoutez les épinards rincés au bout des cinq premières minutes.
- Réduisez tous les légumes en purée jusqu'à obtention d'une consistance crémeuse et laissez refroidir avant de servir.

Autres combinaisons de fruits

- Pomme, poire et nectarine
- Banane et abricot (on ne cuit pas la banane)
- Pêche, pomme et framboises (on ne cuit ni la pêche ni les framboises)
- Avocat et poire (on ne cuit pas l'avocat)
- Mangue et banane
- Prune et poire

Autres combinaisons de légumes

- Courge musquée et poirée
- Chou-fleur et panais
- Pomme de terre, pois et brocoli
- Patate douce et poivron rouge
- Tomate, carotte et courge

Purées en glaçons

Lorsque vous savez que votre enfant apprécie telle et telle purées, vous pouvez en préparer en quantité et la congeler dans des bacs à glaçons.

Premières purées de grains ou de légumineuses

Purée de riz brun

175 g (6 oz) de riz brun
900 ml (1,5 pinte) d'eau

Son goût est sucré naturellement et il fait une purée plus riche en éléments nutritifs que le riz pour bébé du commerce.

- Faites mijoter le riz doucement dans l'eau non salée jusqu'à ce qu'il ait amolli (de 30 à 40 minutes).
- Réduisez-le en purée crémeuse et laissez refroidir avant de servir.

Purée de quinoa

175 g (6 oz) de quinoa
600 ml (1 pinte) d'eau
1 pêche pelée et concassée (facultatif)

De toutes les graines, le quinoa contient le plus de protéines, ce qui en fait l'aliment indiqué pour un poupon végétarien. Il s'agit d'un grain que l'on cultive depuis les temps immémoriaux qui n'a pas été cloné ou trafiqué et qui n'a pratiquement aucun goût. Vous pouvez donc lui ajouter des fruits ou des légumes pour plaire au palais de votre enfant.

- Versez l'eau et le quinoa dans une casserole à fond épais, posez un couvercle et laissez mijoter doucement pendant 10 minutes.
- Retirez du feu et laissez reposer pendant 15 minutes jusqu'à ce que l'eau ait presque toute été absorbée et que les grains soient bien gonflés.
- Réduisez en purée en ajoutant soit des légumes ou des fruits cuits (p. ex. une pêche). Laissez refroidir avant de servir.

Purée de lentilles

1 petite patate douce
600 ml (1 pinte) d'eau
1 poireau moyen
100 g (4 oz) de lentilles rouges

- Pelez et hachez finement la patate douce et déposez-la avec l'eau dans une casserole à fond épais.
- Rincez soigneusement le poireau avant de le hacher finement et déposez-le dans la casserole avec les lentilles.
- Faites mijoter pendant 25 minutes ou jusqu'à ce que les lentilles aient amolli. Réduisez les trois ingrédients en une purée lisse et laissez refroidir avant de servir.

Premières purées de viandes et de poissons

Purée de poisson maigre et de légumes

1 carotte de taille moyenne, rincée et pelée

1 poivron rouge de taille moyenne, évidé et épépiné

100 g (4 oz) de pomme de terre (ou de patate douce) pelée

135 g (5 oz) de filet de plie ou de morue sans la peau

85 ml (3 oz) de lait ou d'eau

1 feuille de laurier (facultatif)

- Concassez tous les légumes et déposez-les dans une casserole avec suffisamment d'eau pour les couvrir.
- Couvrez la casserole et laissez mijoter pendant environ 20 minutes jusqu'à ce qu'ils soient tendres, puis réduisez-les en une purée grossière.
- Déposez le poisson, le lait et la feuille de laurier (pour parfumer davantage) dans une autre casserole.
- Laissez mijoter à feu doux pendant cinq à sept minutes, jusqu'à ce que la chair se défasse sans difficulté. Vérifiez qu'aucune arête ne s'y trouve.
- Ajoutez le poisson et le liquide à la purée de légumes, et écrasez à l'aide d'une fourchette ou réduisez en une purée de la consistance voulue. Servez cette purée chaude.

Le poulet et le poisson maigre sont les meilleures sources de protéines animales que l'on puisse ajouter aux premières purées, étant donné que leur saveur relativement fade risque de plaire au palais de bébé. Il ne faut toutefois pas lui en donner avant l'âge de quatre mois.

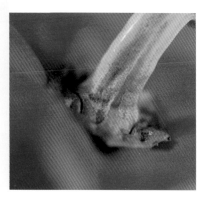

Purée de poulet, courge et courgette

75 g (3 oz) de blanc de poulet

50 g (2 oz) de poireau rincé

50 g (2 oz) de courge musquée pelée

1 courgette moyenne, pelée

600 ml (1 pinte) d'eau

fines herbes au choix (thym ou estragon)

- Rincez le poulet et hachez les légumes.
- Déposez-les dans une casserole avec l'eau et les fines herbes, et laissez mijoter pendant 20 à 25 minutes, jusqu'à ce que les légumes aient amolli et que le poulet soit cuit.
- Réduisez-les en une purée grossière et laissez refroidir à la température désirée.

Les courges sont riches en bêta-carotène, un antioxydant nécessaire au système immunitaire de votre enfant.

Ses premières céréales

et les musts du petit déjeuner

La transition entre le sein, le biberon et enfin les premières purées est la première étape du sevrage mais la transition vers les céréales (autres que le riz pour bébé) est tout aussi importante. Les céréales contiennent une forte proportion de vitamines B qui sont essentielles à la croissance et à l'énergie; vous devez donc savoir à quel moment et comment les utiliser pour que votre enfant ait, dès le départ, la meilleure alimentation qui soit.

Dès le plus jeune âge, votre enfant a appris à apprécier les sucres naturels présents dans de nombreuses purées de fruits et de légumes; vous devez continuer à lui donner, dans une certaine mesure, un peu de sucré dans les céréales du petit déjeuner, à défaut de quoi il risque de les trouver fades. Les céréales du commerce contiennent avant tout des produits de blé transformé et offrent peu afin de soutenir l'enfant pendant quelque temps. En fait, l'enfant qui consomme de telles céréales est davantage susceptible d'éprouver la faim. Vous devriez conserver au garde-manger une bonne variété de grains et de flocons afin de varier les petits déjeuners (reportez-vous à « Le garde-manger santé » aux pages 46 et 47.

Ces recettes font quatre portions pour un enfant de moins de sept ans et deux ou trois portions s'il est plus âgé.

Premières céréales

Porridge d'avoine avec fruits

100 g (4 oz) de flocons d'avoine
300 ml (10 oz) de jus de pomme
300 ml (10 oz) de lait ou d'un succédané au riz ou à l'avoine
2 abricots frais ou 2 abricots séchés trempés dans l'eau pendant la nuit, hachés
1 pomme de taille moyenne, évidée et tranchée en dés
1 cuillerée à soupe de raisins secs ou de Smyrne
    la moitié d'une banane ou une banane entière (facultatif, pour la purée seulement)

Remarque : Si vous préparez ce plat pour un enfant de moins d'un an, vous devez faire cuire légèrement tous les fruits dans 500 ml (1/2 pinte) de jus de pomme et de miel; sinon, vous pourriez les hacher pour qu'ils soient de la même grosseur et les ajouter au porridge.

- Faites tremper les flocons d'avoine dans le jus de pomme pendant la nuit pour faire ressortir le goût sucré de la céréale. Conservez au frigo pendant la nuit.
- Déposez les flocons d'avoine et le lait ou le succédané de lait dans une casserole et faites-les chauffer pendant une dizaine de minutes.
- Ajoutez les fruits et réduisez le tout en purée ou servez chaud, tel quel.

Céréales granola

1 cuillerée à thé de graines de tournesol
1 cuillerée à thé de graines de citrouille
1 cuillerée à thé de graines de sésame
1 cuillerée à thé de graines de lin
50 g (2 oz) de flocons de millet ou d'orge
50 g (2 oz) de flocons d'avoine
1 cuillerée à soupe de miel de qualité (bio de préférence)

- Faites chauffer le four à 175 °C (350 °F/position 4).
- Moulez grossièrement tous les grains dans un moulin à café ou au robot.
- Déposez les flocons de millet (ou d'orge) et d'avoine sur une plaque à biscuits et versez-y un filet de miel. Enfournez la plaque pendant 10 minutes jusqu'à ce que le miel ait fondu.
- Sortez la plaque du four, mélangez les flocons à l'aide d'une cuiller de bois afin de bien les enrober de miel et retournez la plaque au four pendant 10 minutes de plus.
- Sortez la plaque du four et ajoutez en remuant le mélange de graines. Étendez le mélange sur la surface de la plaque et laissez refroidir.
- Raclez les céréales et rompez-les afin d'en faire de petites bouchées que vous conserverez dans un récipient étanche.
- Servez les céréales accompagnées de fruits frais et de lait ou d'un succédané de lait.

Remarque : À partir de cette recette, on peut préparer des tablettes ou des bouchées granola. Il suffit de remuer la préparation lorsque le temps de cuisson est révolu, d'ajouter le mélange de graines et de remuer vigoureusement pour en faire des tablettes ou des boules. (Si vous doublez les proportions, vous pourrez faire les céréales du petit déjeuner et les collations en même temps.)

Les musts du petit déjeuner

Compote de riz et de fruits

150 g (5 oz) de riz brun
100 g (4 oz) de jus de pomme (ou de poire)
85 ml (3 oz) d'eau
2 poires moyennes pelées
50 g (2 oz) de baies telles que des framboises ou des bleuets
85 ml (3 oz) de lait ou d'un succédané à l'avoine ou au riz

- Faites tremper le riz dans le jus de pomme et l'eau pendant la nuit afin qu'il gonfle (vous épargnerez ainsi sur le temps de cuisson). Rangez-le au frigo pendant la nuit.
- Concassez grossièrement les poires et mélangez-les aux baies que vous choisirez.
- Faites cuire le riz dans ce qui reste de jus de pomme et le lait (ou le succédané) jusqu'à ce que sa consistance soit crémeuse.
- Ajoutez les fruits en remuant et faites chauffer pendant une ou deux minutes. Servez chaud.

Crêpes de sarrasin

1 œuf
120 ml (4 oz) de lait ou d'un succédané au riz ou à l'avoine
100 g (4 oz) de farine de sarrasin

Remarque : Ces crêpes se conservent bien au congélateur. Intercalez une feuille de papier paraffiné entre chacune pour les empêcher de coller et de se rompre lorsqu'elles décongèleront, et rangez-les dans un sac de congélation.

■ Fouettez l'œuf avec le lait ou le succédané et ajoutez peu à peu la farine jusqu'à obtention d'une pâte légère et mousseuse. Laissez-la reposer pendant 10 minutes. (Autrement, préparez la pâte la veille et conservez-la au frigo jusqu'au matin.)

■ À l'aide d'une louche, déposez une petite quantité de pâte dans une poêle antiadhésive et remuez la poêle pour que la pâte en couvre tout le fond et fasse une crêpe mince.

■ Tournez la crêpe au bout d'une minute et laissez-la cuire de l'autre côté; sortez-la de la poêle et posez-la dans une assiette.

■ Faites toutes les crêpes de cette manière.

Œufs brouillés

1 œuf par enfant
1/2 cuillerée à thé d'huile d'olive légère
1 cuillerée à soupe de lait ou de succédané au riz ou à l'avoine

■ À l'aide d'un fouet, remuez tous les ingrédients et versez la préparation dans une poêle que vous aurez fait chauffer à feu moyen pendant une minute ou deux.

■ Remuez les œufs constamment pendant trois ou quatre minutes jusqu'à obtention de la consistance désirée. Servez en accompagnement des crêpes de sarrasin (voyez ci-dessus).

Plats principaux

Vous pouvez servir aux enfants des plats principaux au déjeuner ou du dîner, en fonction de leur âge et du rythme auquel vous devez les nourrir. Vous trouverez dans cette section des plats à base de viande, de volaille, de poisson et de légumes que vous pourrez marier afin de faire un repas plus important ou faisant partie d'un repas familial. Quelques-uns des plats végétariens sont tout indiqués pour un dîner léger ou un goûter dînatoire lorsqu'un enfant a peu faim ou qu'approche l'heure du dodo.

Toutes les recettes prévoient quatre portions moyennes (ou six portions pour un très jeune enfant).

Soupe de poulet et lentilles

Soupe de poulet et lentilles
1 carcasse de poulet
2 carottes hachées
1 panais haché
1 oignon moyen haché
1 branche de céleri hachée
1 gousse d'ail hachée (facultatif)
2 cuillerées à soupe de lentilles du Puy ou rouges (doublez la quantité si vous ne mettez pas de poulet)
poivre noir
1 pincée de thym séché ou 1 brin de thym frais
1 grosse poitrine de poulet (environ 150 g [5 oz]) hachée
60 g (2 oz) de pois surgelés

- Déposez la carcasse de poulet, les carottes, le panais, l'oignon, la branche de céleri, l'ail (le cas échéant), les lentilles, le poivre noir et le thym dans une grande cocotte et couvrez-les d'eau.
- Amenez à ébullition, réduisez le feu et faites mijoter pendant 45 minutes. Vérifiez que le liquide ne bout pas sans cesse, auquel cas les légumes deviendraient trop cuits.
- Retirez la carcasse de poulet et tous les os qui resteraient dans la marmite. Ajoutez la viande hachée et les pois.
- Faites chauffer la préparation et servez la soupe dans de grands bols afin de prévenir les déversements. (Autrement, retirez la carcasse et tous les os, ajoutez le poulet et les pois, faites chauffer et, à l'aide d'un plongeur, réduisez le tout en purée pour faire un velouté.)

Bien que les soupes aient la préférence des enfants plus âgés, les plus jeunes sont également tentés par ce concept d'un bol-repas et cela vous permet d'ajouter des légumes dont vous auriez du mal à les convaincre de manger. Cette recette laisse place à de nombreuses variantes car vous pouvez remplacer les légumes-racines selon la saison ou inclure ceux que votre enfant préfère. Laissez tomber le poulet si votre enfant est végétarien.

Remarque : Si vous préparez un potage végétarien à base de lentilles, ajoutez davantage d'assaisonnement et une cuillerée à soupe de concentré de bouillon de légumes afin qu'il soit plus goûteux.

Les haricots sont d'excellentes sources végétales de protéines qui fournissent quantité d'énergie et tiennent au chaud pendant la froide saison. Cependant, n'introduisez pas de haricots dans l'alimentation d'un enfant de moins de six ans car son système digestif ne contient pas suffisamment d'enzymes pour les assimiler. Avec ce plat, vous intéresserez votre enfant à différentes textures et couleurs. Tous les légumes doivent être hachés de différentes grosseurs afin que l'enfant apprenne à les identifier.

Ces délicieux hambourgeois ou boulettes à base de haricots ne devraient pas être réservés aux enfants végétariens. Ils sont tout indiqués pour les boîtes-repas, les pique-niques ou pour remplacer les hambourgeois au bœuf. Les haricots et les légumineuses sont de riches sources de protéines essentielles à la croissance et à la cicatrisation des tissus, et leur grande variété devrait satisfaire tous les goûts. Ce plat ne convient pas aux bébés de moins de neuf mois.

Fèves en pot

2 cuillerées à soupe d'huile d'olive
1 oignon moyen, pelé et taillé en petits dés
1/2 courge musquée pelée et taillée en dés
1 lanière de 5 cm (2 po) de kombu (une algue japonaise qui atténue les flatulences provoquées par les haricots et les légumineuses)
1 poivron rouge évidé, épépiné et taillé en fines lanières
1 poivron jaune évidé, épépiné et taillé en fines lanières
50 g (2 oz) de haricots verts éboutés
50 g (2 oz) de maïs sucré en conserve
1,2 litre (2 pintes) d'eau
1 cuillerée à soupe de bouillon de légumes déshydraté de bonne qualité
1 boîte de 225 g (8 oz) de haricots de Lima, de haricots rognons ou de haricots rincés
50 g (2 oz) de crème fraîche (facultatif)

■ Faites chauffer doucement l'huile d'olive dans une grande casserole à fond épais.
■ Ajoutez l'oignon et la courge musquée et faites-les sauter jusqu'à ce que les oignons soient transparents.
■ Ajoutez l'algue (le cas échéant) et les autres légumes, à l'exception des haricots, et faites-les sauter pendant deux ou trois minutes.
■ Faites bouillir l'eau dans une marmite, ajoutez les légumes et versez en remuant le bouillon de légumes et les haricots que vous avez choisis. Couvrez et laissez mijoter doucement pendant 25 à 30 minutes, de sorte que les légumes restent fermes sans être durs.
■ Servez ce plat tel quel avec des tranches de pain de blé ou de seigle, ou réduisez-le en purée et présentez-le comme un potage auquel vous ajouterez la crème à la dernière minute.

Hambourgeois ou boulettes de haricots

1 boîte de 350 g (12 oz) de flageolets, de haricots rognons ou de haricots
350 g (12 oz) de pomme de terre, de patate douce, de carottes ou de courge musquée (ou d'un mélange des 4) pelées et hachées grossièrement
2 cuillerées à soupe d'huile d'olive
1 oignon haché finement
1 cuillerée à soupe de purée de tomates
1 cuillerée à soupe de farine (afin de lier la préparation); on peut prendre de la farine de pois chiches si l'enfant ne peut consommer de blé
1 grosse tomate en guise de garniture

■ Versez les haricots dans une passoire et rincez-les soigneusement à l'eau courante. Réservez-les pendant plusieurs minutes afin que l'eau s'en égoutte et déposez-les dans un grand bol pour les écraser à l'aide d'une fourchette. Réservez.

- Entre-temps, faites mijoter la pomme de terre, la patate douce, les carottes ou la courge musquée dans un peu d'eau jusqu'à ce qu'elles soient tendres; égouttez et réduisez en purée.
- Faites chauffer la moitié de l'huile d'olive dans une autre poêle pour y faire doucement sauter l'oignon jusqu'à ce qu'il devienne transparent.
- Mélangez l'oignon et la purée de légumes aux haricots et remuez vigoureusement en ajoutant la purée de tomates.
- Ajoutez la farine afin de lier les ingrédients et façonnez quatre pâtés à hambourgeois de taille moyenne ou 10 à 12 boulettes.
- Faites chauffer le reste d'huile d'olive pour y frire les pâtés ou les boulettes jusqu'à ce qu'ils soient légèrement dorés (sans les laisser brûler) et que la chaleur les traverse.
- Vous pouvez servir les hambourgeois avec des pains pita grillés, du pain de seigle ou des muffins et des tranches de tomate en guise de garniture. Autrement, vous pourriez servir les boulettes avec du riz et des légumes sautés au miel (reportez-vous à la page 140).

Purée de légumes

100 g (4 oz) de pommes de terre pelées et concassées
1 cuillerée à soupe de bouillon de légumes déshydraté
100 g (4 oz) de rutabaga (ou d'un autre légume-racine), de courge
musquée, de brocoli, de courgette ou de carottes, pelés et concassés
25 g (1 oz) de beurre ou d'huile d'olive
poivre noir
85 ml (3 oz) de lait ou de succédané de riz ou d'avoine

- Déposez les pommes de terre dans suffisamment d'eau pour les couvrir et ajoutez le bouillon déshydraté pour rehausser leur saveur.
- Amenez à ébullition et laissez cuire pendant 10 minutes avant d'ajouter le rutabaga ou un autre légume-racine (ou 15 minutes avant d'ajouter la courge, le brocoli, la courgette, les carottes ou d'autres légumes tendres).
- Laissez mijoter jusqu'à ce que tous les légumes aient amolli. Égouttez en ayant soin de réserver environ 2 cuillerées à soupe de bouillon et remettez les légumes dans la poêle.
- Ajoutez le beurre ou l'huile d'olive et un peu de poivre noir moulu.
- Réduisez en purée, puis ajoutez le lait ou son succédané jusqu'à ce que la préparation soit crémeuse. Si la préparation est trop ferme, ajoutez une ou deux cuillerées à soupe de bouillon.
- Servez en accompagnement d'un mets principal ou rehaussé de fromage râpé.

Il est étonnant de constater le nombre d'enfants qui apprécient la purée de légumes alors même que les légumes entiers n'exercent sur eux aucun attrait. Afin d'épargner du temps lorsque vous choisissez les légumes, prenez la pomme de terre comme base, puis un ou deux légumes de couleurs différentes que vous ajouterez aux pommes de terre à la fin de la cuisson et que vous mélangerez ensemble.

Ce plat végétarien au goût sucré saura tenter les enfants et leur fera goûter une variété de légumes. C'est en Indonésie et en Chine que l'on mélange la sauce soja et le miel. N'ajoutez pas davantage de miel que ne l'exige la recette. Un miel de bonne qualité a naturellement des propriétés antibactériennes; voilà donc un bon plat à préparer à votre enfant lorsqu'il a le rhume ou qu'il est sans entrain. Pour en faire un plat principal, vous pourriez ajouter un suprême de poulet grillé ou cuit au four lorsque les légumes seront cuits, avant d'ajouter la sauce soja et le miel.

Légumes sautés au miel

2 cuillerées à soupe d'huile d'olive légère
1 gousse d'ail hachée finement
1 petit oignon pelé et haché
1 cm (1/2 po) de rhizome de gingembre frais, pelé et haché finement (facultatif)
1 poivron rouge évidé, épépiné et taillé en lanières
1 poivron vert évidé, épépiné et taillé en lanières
175 g (6 oz) de mini-épis de maïs taillés en deux sur le sens de la longueur
175 g (6 oz) de pois mange-tout rincés et parés
1 cuillerée à soupe de sauce soya ou de tamari (sauce soja sans blé)
1 cuillerée à soupe de miel de qualité

■ Faites chauffer l'huile d'olive dans une poêle à fond épais, ajoutez l'ail, l'oignon et le gingembre (le cas échéant) en remuant sans cesse pendant deux à trois minutes.

■ Ajoutez les poivrons, les mini-épis de maïs et les pois mange-tout, et continuez à faire cuire pendant deux minutes de plus.

■ Ajoutez les pois frais ou surgelés, attendez que la chaleur les traverse et versez un filet de sauce soja ou de tamari sur les légumes.

■ Versez le miel en remuant. Servez sans tarder.

Farfalle au jambon et aux pois

350 à 400 g (12 à 14 oz) de farfalle à la farine de blé, de maïs ou de sarrasin (on dirait de petits nœuds papillons qui amuseront les enfants)
2 cuillerées à soupe d'huile de maïs ou d'olive
4 grandes tranches de jambon cuit au miel ou autre, hachées
50 g (2 oz) de pois ou de maïs sucré frais ou surgelés
4 cuillerées à soupe de purée de tomates ou de pesto rouge

Les pâtes ne perdent jamais de leur popularité et la facilité et la rapidité avec lesquelles on les prépare font qu'on les retrouve souvent aux menus. Pour éviter de surcharger votre enfant du blé que l'on trouve dans les pâtes et autres produits de boulangerie (pain, biscuits et gâteaux), servez-lui des pâtes de maïs ou de sarrasin (malgré son nom, le sarrasin appartient à la famille de la rhubarbe). Versez quelques gouttes d'huile dans l'eau de cuisson pour éviter qu'elles ne s'agglutinent.

Remarque : Pour faire une variante végétarienne, remplacez le jambon par 100 g (4 oz) de haricots rouges ou de haricots borlotti.

■ Faites cuire les pâtes dans suffisamment d'eau bouillante à laquelle vous aurez ajouté une cuillerée à soupe d'huile de maïs ou d'olive pour les empêcher de coller les unes aux autres. Laissez-les mijoter pendant 10 à 12 minutes; elles doivent rester fermes. Égouttez-les et réservez-les.

■ Faites chauffer ce qui reste d'huile dans une poêle et faites sauter le jambon haché et les pois ou le maïs pendant deux minutes.

■ Ajoutez la purée de tomates ou le pesto et continuez la cuisson pendant une à deux minutes afin que se marient les saveurs; versez la sauce sur les pâtes en remuant afin de bien les enduire. Servez sans tarder.

Macaronis du pêcheur

350 g (12 oz) de macaronis de blé entier ou de maïs
1 cuillerée à soupe d'huile de tournesol
225 g (8 oz) de filets de poisson frais, sans arêtes et sans la peau
(ou 225 g [8 oz] du poisson de votre choix en conserve, sans arêtes)
1 carotte hachée finement
1 cuillerée à soupe de bouillon de légumes déshydraté
25 g (1 oz) de beurre ou d'un succédané non hydrogéné
25 g (1 oz) de farine blanche ou de maïs (pour épaissir la sauce)
175 ml (6 oz) de lait ou d'un succédané au riz ou à l'avoine
poivre noir

■ Faites cuire les macaronis dans une grande marmite contenant de l'eau à laquelle vous aurez ajouté une cuillerée à soupe d'huile de tournesol pour qu'ils ne collent pas les uns aux autres. Laissez-les mijoter pendant environ 10 à 12 minutes; ils doivent être fermes mais céder sous la fourchette.

■ Entre-temps, faites pocher à découvert dans une casserole peu profonde les filets de poisson et les carottes dans l'eau aromatisée au bouillon de légumes. Ils doivent cuire à feu moyen pendant 10 à 15 minutes. Enlevez les filets et défaites-les en morceaux pour les réserver. Conservez l'eau de cuisson pour l'ajouter à la sauce.

■ Faites fondre doucement le beurre ou le succédané dans une autre poêle et faites un roux en ajoutant la farine de manière à former une pâte. Laissez cuire à feu moyen pendant deux à trois minutes, ajoutez le lait ou le succédané peu à peu en remuant sans cesse, de manière à faire une sauce crémeuse.

■ Poivrez au goût et ajoutez de 25 à 50 ml (1 à 2 oz) de fumet de poisson pour relever la saveur et pour que la sauce soit lisse sans devenir trop épaisse. Retirez la poêle du feu.

■ Déposez les pâtes dans un plat peu profond allant au four et disposez les filets de poisson entre les pâtes plutôt que seulement sur le dessus. Versez la sauce en faisant en sorte d'en napper toutes les pâtes.

■ Passez sous la salamandre pendant cinq à dix minutes afin que dore le dessus du plat, et servez avec les légumes que vous voulez.

Si votre enfant a peu envie de manger du poisson, mariez celui-ci à des pâtes afin de rendre la chose plus attrayante à son palais. Le poisson est fort utile à la croissance, à la fonction immunitaire et à la cicatrisation des tissus; vous devriez en servir au moins deux ou trois fois par semaine. Choisissez parmi le saumon, le thon, la truite, la plie et l'églefin. Vérifiez que les filets que vous achetez ne comportent pas d'arêtes (ou employez du poisson en conserve si vous devez faire vite).

La viande rouge est pour les enfants une importante source de fer, dont on a plus besoin pendant la croissance qu'à l'âge adulte. Presque tous les enfants adorent l'agneau qui a l'avantage d'être rarement allergénique. Dans le meilleur des mondes, vous choisirez des côtelettes d'agneau fermier car les coupes moins chères n'offrent pas le même apport sur le plan nutritionnel.

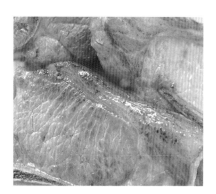

Remarque : Ne laissez pas ce plat à la traîne pendant plus d'une demi-heure après l'avoir fait cuire sans le faire réchauffer ou le ranger au frigo car la probabilité d'une infection bactérienne est accrue lorsque l'on cuit ensemble le riz et le poulet.

Côtelettes d'agneau

le jus de 2 citrons
1 cuillerée à thé de sauce soja
1 cuillerée à thé d'huile de sésame (facultatif, à proscrire s'il y a possibilité d'allergie aux noix)
2 cuillerées à thé de miel
1 cuillerée à thé de concentré de tomates
poivre noir
4 côtelettes d'agneau

- Mélangez le jus des citrons, la sauce soja, l'huile de sésame (le cas échéant), le miel, le concentré de tomates et le poivre noir; enduisez les côtelettes de cette marinade.
- Laissez macérer pendant au moins une heure pour que s'infusent les saveurs (vous pouvez préparer la marinade le matin et la conserver au frigo jusqu'à l'heure du déjeuner ou du dîner).
- Déposez les côtelettes sur un gril chauffé à feu moyen ou vif et faites-les cuire pendant quatre à cinq minutes de chaque côté.
- Entre-temps, faites réduire ce qui reste de marinade à feu vif pendant quelques minutes en prenant garde qu'elle ne brûle pas.
- Servez les côtelettes et la marinade sans tarder en compagnie d'une purée de légumes ou de pommes de terre en robe des champs avec du brocoli et des carottes.

Poulet et riz

2 suprêmes de poulet de taille moyenne ou 4 cuisses sans leur peau
1 citron moyen taillé en 2
175 g (6 oz) de riz complet ou de riz blanc, soigneusement rincé
2 carottes hachées
1 oignon moyen, pelé et haché
50 g (2 oz) de pois mange-tout, de haricots verts ou de pois frais ou surgelés
1 poivron rouge évidé, épépiné et taillé en lanières
1,2 litre (2 pintes) d'eau
2 cuillerées à soupe de bouillon de légumes déshydraté
poivre noir
1 feuille de laurier ou d'autres herbes au choix (estragon, thym, persil)
1 cuillerée à soupe de sauce soja ou de tamari (sauce soja sans blé)

- Rincez le poulet et frottez-le de citron (ce truc oriental vise à supprimer toutes les bactéries avant la cuisson).
- Déposez le poulet dans une grande poêle à fond épais et versez le riz en l'étendant de façon uniforme.

- Ajoutez tous les légumes, versez l'eau et le bouillon déshydraté en remuant la préparation pour assurer la répartition uniforme de tous les ingrédients dans la poêle.
- Poivrez et ajoutez la sauce de soja ou de tamari.
- Couvrez la poêle de façon hermétique et faites cuire à feu moyen (après que l'eau a atteint le point d'ébullition) pendant 35 à 40 minutes, ou jusqu'à ce que le riz soit cuit. Lorsque tout est prêt, le poulet et le riz ont absorbé toute l'eau; servez-les dans la poêle.

Cari de bœuf pour les ados

1 cuillerée à soupe d'huile d'olive
1 gros oignon pelé et haché
1 gousse d'ail râpée ou écrasée
2 poireaux parés et taillés en rondelles
50 g (2 oz) de pommes de terre hachées et bouillies pendant 10 minutes
2 cuillerées à soupe de cari doux
400 à 450 g (14 à 16 oz) de surlonge maigre ou de cubes de filet de bœuf
2 cuillerées à soupe de concentré de tomate
300 ml (10 oz) de bouillon de légumes ou de bœuf
1 cuillerée à thé de farine de maïs
3 cuillerées à soupe de yaourt nature (facultatif)

- Faites chauffer l'huile dans une poêle à fond épais sur un feu moyen et faites sauter l'ail et l'oignon jusqu'à ce que ce dernier devienne transparent.
- Ajoutez les poireaux, les pommes de terre, la poudre de cari et le bœuf en remuant constamment pour vous assurer que tous les légumes et les morceaux de bœuf sont enduits de cari.
- Laissez cuire pendant une à deux minutes en remuant sans cesse, puis ajoutez le concentré de tomate et le bouillon. Amenez à ébullition et laissez mijoter pendant 35 à 50 minutes.
- Délayez une cuillerée à soupe de sauce au cari et la farine de maïs de manière à former une pâte, puis ajoutez cette pâte au cari en remuant vigoureusement. Continuez la cuisson pendant 15 minutes ou jusqu'à épaississement de la sauce au cari selon la consistance souhaitée.
- Ajoutez le yaourt afin de tempérer le feu du cari s'il est trop puissant. Servez sans tarder avec du riz.

En Extrême-Orient, on sert du riz à pratiquement chaque repas; plusieurs mets sont cuits dans un même récipient, ce qui en conserve tous les éléments nutritifs. En général, les enfants adorent le riz car il a un goût naturellement sucré et il leur apporte quantité de vitamines B nécessaires à leur entrain et à leurs fonctions cérébrales. Vous pouvez adapter ce plat en fonction des légumes préférés de vos enfants.

Il est étonnant de voir le nombre d'enfants qui apprécient les saveurs du cari et il s'agit d'une excellente façon de servir de la viande et plusieurs légumes en un seul plat. Le cari est également utile quand on veut apprêter les restes, par exemple les pommes de terre, le rôti de dimanche dernier ou un surplus de légumes-racines. Commencez par servir du cari légèrement épicé pour que votre enfant s'adapte à cette épice.

Desserts et gâteries

Les mères auraient moins de mal à l'heure des repas si elles pouvaient servir les desserts et les gâteries avant les plats principaux. Nul ne se plaindrait de ce qu'on lui sert car desserts et gâteries sont immanquablement sucrés. Toutefois, il importe de ne pas faire comme si le dessert était une récompense à laquelle les enfants ont droit seulement s'ils ont mangé le reste du repas (reportez-vous à « Aliments récompenses » aux pages 60 et 61) mais plutôt comme un élément du repas.

Les recettes suivantes font appel à des fruits plus qu'à tout autre ingrédient étant donné leur richesse sur le plan nutritionnel et parce que les enfants refusent souvent de les consommer crus. Je me plais à penser que toutes les cuisines familiales sont dotées d'un plateau de fruits duquel les enfants peuvent se choisir une collation en tout temps plutôt que se voir offrir des fruits seulement à la fin des repas. Il est nettement préférable d'offrir un fruit à un enfant qui a la fringale au lieu de le voir chercher une tablette de chocolat ou un sachet de croustilles.

Toutes les recettes prévoient quatre portions pour adultes ou deux pour adolescents.

La crème pâtissière est très nourrissante car elle contient du fer, du calcium, des vitamines B (dans les jaunes d'œufs), du bêta-carotène, de la vitamine C (dans les pêches) ainsi que du phosphore et du magnésium (dans les bananes). Les bananes sont de plus une excellente source de tryptophane qui favorise un sommeil profond. Il s'agit donc d'un dessert qui convient à l'heure du dîner et qui calmera votre enfant. Vous pouvez remplacer les pêches et les bananes par des fruits de saison.

Remarque : La crème pâtissière prendra une consistance plus ferme; vous pouvez la verser dans des moules que vous retournerez dans les assiettes lors d'occasions spéciales.

Pêches et bananes en crème pâtissière

2 gros jaunes d'œufs (réservez les blancs pour faire la meringue)
1 cuillerée à thé de farine de maïs
1 cuillerée à soupe de miel
1 cuillerée à thé d'extrait de vanille
300 ml de lait ou d'un succédané à l'avoine ou au riz
2 bananes
2 pêches pelées

- Dans une casserole à fond épais, fouettez les jaunes d'œufs auxquels vous ajouterez la farine de maïs, le miel et l'extrait de vanille.
- Dans une autre casserole, faites chauffer le lait à feu doux et ajoutez-le à la préparation aux œufs en remuant sans cesse jusqu'à ce qu'elle commence à épaissir. (Certains enfants préfèrent la crème pâtissière plus épaisse, en particulier si vous la mélangez à des fruits et la conservez au frigo; préparez-en de différentes consistances jusqu'à trouver celle qu'ils préfèrent.)
- Taillez les bananes et les pêches et déposez-les dans un plat de service avant de les napper de crème pâtissière. Servez tiède ou froid, après les avoir passés au frigo.

Bombe aux pommes

4 pommes rouges ou Granny Smith évidées, non pelées
4 cuillerées à thé de raisins secs ou de Smyrne
4 dattes dénoyautées, hachées
2 cuillerées à soupe de miel

- Faire chauffer le four à 180 °C (350 °F/position 4).
- Farcissez le cœur des pommes d'un mélange de fruits séchés.
- Déposez les pommes dans un plat qui ne craint pas le four que vous aurez enduit de beurre, puis versez un filet de miel dans le cœur de chaque pomme, de sorte qu'il coule entre les fruits pendant la cuisson.
- Déposez le plat sur une clayette au centre du four et laissez cuire pendant 40 à 50 minutes. Les pommes doivent amollir sans se défaire. Servez avec de la crème pâtissière ou de la crème fraîche.
- L'été, vous pouvez remplacer les fruits séchés par deux cuillerées à soupe de bleuets ou de mûres.

La plupart des enfants adorent les pommes, qu'elles soient crues ou cuites, et il est si facile de les faire cuire au four le temps que vous préparez le reste du repas. Farcir le cœur des pommes d'autres fruits ajoutera à la valeur nutritive de ce dessert mais évitez d'employer des baies molles car elles se défont. Les pommes sont particulièrement utiles lorsqu'un enfant n'est pas en forme car elles éliminent les toxines du tractus digestif et contiennent quantité d'éléments nutritifs qui donneront du tonus au système immunitaire.

Galettes aux dattes et à l'avoine

50 g (2 oz) de beurre
75 g (3 oz) de cassonade foncée
225 g (8 oz) de flocons d'avoine
25 g (1 oz) de raisins de Smyrne ou de raisins secs
50 g (2 oz) de dattes dénoyautées, hachées
25 g (1 oz) d'abricots séchés, hachés
4 cuillerées à soupe d'huile de tournesol ou de colza

- Faites chauffer le four à 180 °C (350 °F / position 4).
- Chemisez de papier paraffiné un moule de 30 sur 20 cm (12 sur 8 po).
- Mélangez le beurre et la cassonade dans une casserole, puis faites-les fondre à feu doux jusqu'à ce que le sucre se soit dissous.
- Ajouter le reste des ingrédients et remuez vigoureusement.
- Versez la préparation dans le moule et mettez-le au four pendant 30 minutes. Retirez du four et laissez refroidir pendant 10 à 15 minutes avant de trancher. N'essayez pas de sortir les galettes du moule avant qu'elles n'aient refroidi. Elles se conservent pendant une semaine dans un récipient étanche.

On trouve de nombreuses versions de cette recette, dont certaines comportent plus de fruits, d'autres plus de noix. Demandez aux enfants de vous aider à préparer ces galettes car certains évitent de manger quelque chose qu'ils ne connaissent pas. Ces galettes sont très faciles à préparer; vous pouvez en faire un lot pour la semaine. Les dattes, les figues et les abricots sont d'excellentes sources de fer et de bêta-carotène, qui stimule le système immunitaire, et de calcium, qui contribue au développement des tissus osseux. L'avoine regorge de vitamines B qui donnent de l'énergie et de zinc utile aux systèmes digestif et immunitaire.

Remarque : Évitez de servir ces galettes aux enfants de moins d'un an; ils auront du mal à digérer l'avoine complète et ils risquent de s'étouffer.

Muffins aux carottes

175 g (6 oz) de farine complète auto-levante
75 g (3 oz) de cassonade foncée
2 cuillerées à thé de bicarbonate de soude
3 œufs
1 cuillerée à thé d'extrait de vanille
225 g (8 oz) de carottes râpées
120 ml (4 oz) d'huile de colza ou de tournesol
une pincée de muscade ou de gingembre moulu

Ces muffins fourniront aux enfants qui consomment peu de carottes du bêta-carotène, cet élément nutritif essentiel au système immunitaire et à la vue. Ils sont de plus agréables à trouver dans la boîte-repas ou comme collation lorsque les enfants rentrent de l'école.

■ Faites chauffer le four à 180 °C (350 °F/position 4).

■ Tamisez la farine au-dessus d'un grand bol, puis ajoutez la cassonade et le bicarbonate de soude.

■ Fouettez les œufs et ajoutez-les à la farine avec l'extrait de vanille, les carottes râpées, l'huile et les épices. Remuez vigoureusement et vérifiez que la préparation a absorbé toute la farine.

■ Déposez des moules de papier paraffiné dans un moule à 12 muffins et versez une même quantité de pâte dans chaque moule. Faites cuire sur la clayette du milieu du four pendant 25 à 30 minutes ou jusqu'à ce que la pâte soit dorée.

■ Sortez les moules du four et démoulez les muffins. Déposez la douzaine de muffins sur une grille pour qu'ils refroidissent. Ne retirez les papiers qu'après que les muffins ont refroidi pour éviter de les briser.

■ Servez-les tièdes avec de la crème fraîche en guise de dessert ou refroidis comme collation. Ils se conserveront pendant une semaine dans un contenant étanche.

Pouding au riz et aux fruits

1 cuillerée à thé de beurre
100 g (4 oz) de riz complet (ou de riz à pouding pour les nouveau-nés et les jeunes enfants)
1,2 litre (2 pintes) de lait ou de succédané au riz ou à l'avoine
1/2 cuillerée à thé d'essence de vanille
2 cuillerées à thé de sucre semoule ou de miel
4 cuillerées à soupe de purée de fruit (poire, pomme, framboises, cerises ou mûres)

Le pouding au riz est un dessert dont raffolent presque tous les enfants. C'est le dessert indiqué à servir avec des fruits (qui le sucreront à la place du sucre) et que l'on peut varier selon la saison. Le pouding au riz convient aux enfants de tous les âges et est l'un des premiers aliments que l'on peut donner à un nourrisson. Le riz est riche en minéraux mais le riz blanchi compte moins d'éléments nutritifs; aussi, faites votre pouding à partir de riz complet qui exige davantage de cuisson.

■ Faites chauffer le four à 150 °C (300 °F/position 2).

■ Beurrez les parois d'un plat qui ne craint pas le four.

■ Versez le reste des ingrédients dans le plat et mélangez-les délicatement à l'aide d'une cuiller en bois.

■ Faites cuire au four pendant 40 minutes, puis retirez du four pour remuer le riz. Remettez au four pendant une heure de plus, jusqu'à ce que le riz soit cuit. Laissez refroidir quelque peu avant de servir.

Tourbillon aux fruits

*50 g (2 oz) de fraises, framboises ou bleuets (fraîches en saison,
  surgelées en hiver)*
2 poires pelées et concassées
1 nectarine ou 1 pêche pelée et concassée
175 g (6 oz) de yaourt nature bio
2 cuillerées à thé de miel (facultatif)

- Mélangez les fruits dans un robot de cuisine ou un mélangeur et versez-les dans des bols.
- Ajoutez 2 cuillerées à soupe de yaourt à chaque bol et, à l'aide d'une fourchette, dessinez des tourbillons.
- Versez un filet de miel au centre de chaque dessert, si vous le souhaitez.

Traditionnellement, on ajoutait des blancs d'œufs montés en neige à ce dessert afin de l'alléger. Toutefois, étant donné que les blancs d'œufs crus présentent un risque accru d'intoxication alimentaire, on conseille de les remplacer par du yaourt nature. Ce dessert permet de servir une grande variété de fruits l'année durant et d'inciter les enfants à en faire une meilleure consommation. Choisissez leur fruit préféré comme saveur dominante.

Sucettes glacées

450 g (1 lb) de fruits (frais, surgelés ou réhydratés)
100 g (4 oz) de sucre semoule
120 ml (4 oz) d'eau
25 ml (1 oz) de jus d'orange ou de pommes

- Passez les fruits au mélangeur pour faire un coulis.
- Versez le sucre et l'eau dans une casserole à fond épais et faites se dissoudre le sucre jusqu'à former un sirop.
- Mélangez le sirop, le coulis de fruits et le jus de pomme ou d'orange. Versez dans des moules à sucettes.
- Rangez-les au congélateur jusqu'à ce que les sucettes soient glacées (4 heures au moins).

On trouve à présent des moules à sucettes glacées dans les supermarchés; vous pouvez donc en préparer en compagnie de vos enfants. Ainsi, vous pouvez contrôler la quantité de sucre qu'elles contiennent (les sucettes du commerce en contiennent une quantité absurdement élevée). Employez des fruits frais à la belle saison et des fruits surgelés ou réhydratés en hiver (on réhydrate des abricots séchés en les mettant à tremper dans de l'eau tiède toute une nuit – leur taille va tripler). Si ces sucettes glacées ne font pas le plus sain des desserts, elles sont nettement préférables à celles que nous propose le commerce.

Solutions de rechange

Idéalement, nous souhaiterions offrir en tout temps à nos enfants les meilleurs aliments frais qui soient mais cela exigerait une énorme quantité de temps et nul n'a besoin d'être orthodoxe à ce point. Pour peu que votre garde-manger soit bien garni (reportez-vous à « Le garde-manger santé » aux pages 46 et 47), vous serez toujours en mesure de cuisiner quelque chose de bon sans y mettre trop de temps et d'effort.

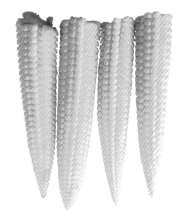

Plusieurs aliments frais peuvent compléter un garde-manger, dont les œufs, le fromage, le lait ou un succédané (pour faire un repas dans un verre), le pain pita complet (pour faire des sandwiches plus nourrissants) et des préparations de polenta minute (à la farine de maïs) pour faire des pizzas santé. Voici quelques idées de plats d'accompagnement et de collations aussi saines que rapides à préparer.

Toutes les recettes prévoient quatre portions ou deux s'il s'agit d'enfants plus âgés (7 ans et plus).

Meilleurs légumes pour la trempette

- Carottes
- Céleri
- Poivrons rouge et vert
- Radis
- Courgettes
- Épis de maïs miniatures
- Tomates cerises
- Pois mange-tout
- Haricots verts
- Morceaux de brocoli et de chou-fleur

Trempettes et bâtonnets

Ces trempettes ne nécessitent que quelques minutes de préparation et sont délicieuses avec des crudités. Ces dernières ne devraient pas être réservées aux adultes; les enfants adorent ronger des bâtonnets de carotte lorsqu'ils percent leurs dents, d'autant qu'ils sont attirés par le goût quelque peu sucré de ce légume-racine. Un plateau de bâtonnets de légumes crus et de trempettes à base de légumes et de haricots fait une excellente solution de rechange aux croustilles et autres fritures que nous propose le commerce.

Afin d'épargner du temps, apprêtez suffisamment de crudités pour plusieurs collations, pour grignoter entre les repas afin d'équilibrer la glycémie (pour en savoir davantage à ce sujet, reportez-vous aux pages 38 à 41) ou pour ajouter à la boîte-repas.

Assurez-vous de disposer d'une provision de haricots et de légumineuses en conserve car ils offrent des protéines de source végétale qui feront à votre enfant de meilleures sources d'éléments nutritifs et d'énergie que les sucreries et les aliments vides que l'on vend en sachets.

Trempette aux poivrons et aux haricots de Lima

Trempette aux poivrons et aux haricots de Lima
3 poivrons rouges évidés, épépinés
1 boîte de haricots de Lima égouttés (175 g [6 oz])
une généreuse pincée de paprika
1 cuillerée à soupe de crème fraîche, de yaourt nature ou de yaourt de soja
2 cuillerées à thé d'huile d'olive

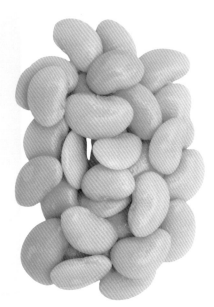

- Mélangez tous les ingrédients à l'aide d'un robot de cuisine ou d'un mélangeur jusqu'à obtention d'une consistance homogène et versez lentement l'huile afin d'épaissir le tout.
- Cette trempette se conserve jusqu'à trois jours au frigo dans un contenant fermé.

Trempette aux pois chiches et au pesto vert

1 bocal de 175 g (6 oz) de pesto au basilic ou à la roquette
1 boîte de 175 g (6 oz) de pois chiches égouttés
poivre du moulin
jus de citron ou vinaigre de cidre selon le goût

- Mélangez tous les ingrédients à l'aide d'un robot de cuisine ou d'un mélangeur et ajoutez le jus de citron ou le vinaigre de cidre de manière à allonger le pesto et à atténuer la présence de l'ail selon le goût recherché.
- Cette trempette se conserve pendant deux ou trois jours car au-delà ses ingrédients risquent de fermenter.

Remarque : Évitez de servir cette trempette à un enfant de moins de neuf mois car les pois chiches pourraient provoquer la colique ou des flatulences.

Trempettes aux haricots rognons, à la tomate et à la moutarde

1 boîte de 175 g (6 oz) de haricots rognons rouges
120 ml (4 oz) de concentré de tomate
1 cuillerée à thé de moutarde à l'ancienne
1 à 2 cuillerées à thé d'eau

- Mélangez tous les ingrédients à l'exception de l'eau à l'aide d'un robot de cuisine ou d'un mélangeur jusqu'à ce que la préparation soit lisse et n'ajoutez de l'eau que si la consistance est trop épaisse.
- Cette trempette se conserve bien au frigo dans un récipient fermé pendant trois jours.

Remarque : La moutarde à l'ancienne stimule les systèmes digestif et immunitaire; elle parfume agréablement les soupes, les ragoûts et les trempettes telles que celle-ci. Toutefois, si votre enfant a la diarrhée, vous devriez employer moitié moins de moutarde.

L'orzo fait une excellente solution de rechange aux pâtes de blé car il est fait d'orge. Il fournit une généreuse quantité de vitamines B, qui donnent de la vigueur, en plus du potassium et du magnésium qui calmeront votre enfant. Si des enfants ont envie de manger des pâtes presque chaque jour, ce pourrait être parce qu'ils ont une poussée de croissance. Les champignons proposés dans cette recette ont des propriétés immunitaires et leur parfum est subtil.

L'un des meilleurs moyens de convaincre les enfants de manger du poisson consiste à en mettre dans la sauce qui nappera des pâtes. Le poisson est nécessaire à la santé des enfants car il est riche en matières grasses essentielles au développement du cerveau, à la souplesse de la peau et à la croissance hormonale. Je favorise ici les tagliatelle de blé entier car elles sont une meilleure source de vitamines B que les pâtes blanches. Du brocoli apportera à ce plat une prime sur le plan nutritionnel sans attirer trop l'attention sur les légumes.

Orzo avec salsa de champignons

600 ml (1 pinte) d'eau
175 g (6 oz) de pâtes à l'orzo (dans les épiceries italiennes
  ou les supermarchés)
Pour faire la sauce
1 petit oignon tranché fin
1 cuillerée à soupe d'huile d'olive
100 g (4 oz) de champignons de Paris en lamelles (frais ou en conserve)
  ou 100 g (4 oz) de champignons shiitake
75 g (3 oz) de crème fraîche, de yaourt nature ou de yaourt de soja
50 g (2 oz) de fromage parmesan (facultatif)

- Amenez l'eau à ébullition dans une grande marmite, puis faites mijoter les pâtes à l'orzo pendant 5 à 10 minutes.
- Égouttez les pâtes sur-le-champ (ne les laissez pas tremper dans l'eau, elles amolliraient). Réservez-les dans un plat chaud ou couvrez la marmite.
- Dans une casserole, faites légèrement sauter l'oignon à l'huile d'olive jusqu'à ce qu'il devienne transparent, ajoutez les champignons en remuant sans cesse pour éviter qu'ils ne cuisent trop et faites-les sauter pendant trois à cinq minutes.
- Versez les oignons, les champignons, la crème fraîche ou le yaourt dans un mélangeur ou un robot de cuisine et mélangez jusqu'à obtention d'une consistance homogène.
- Nappez les pâtes de sauce et servez dans des bols avec du parmesan râpé, si vous le voulez.

Tagliatelle au thon

600 ml (1 pinte) d'eau
175 g (6 oz) de tagliatelle fraîches ou séchées
200 g (7 oz) de thon en conserve égoutté
175 g (6 oz) de tomates concassées avec du basilic ou d'autres fines herbes
100 g (4 oz) de brocoli haché
50 g (2 oz) de parmesan râpé (facultatif)

- Amenez l'eau à ébullition dans une grande marmite, puis faites mijoter les tagliatelle pendant cinq à six minutes si elles sont séchées ou quatre à cinq minutes si elles sont fraîches, de sorte qu'elles soient al dente. Égouttez-les et retournez-les dans la marmite pour les garder au chaud.
- Défaites le thon en morceaux et déposez-les dans une casserole avec le concassé de tomates et le brocoli, et remuez-les soigneusement.
- Faites chauffer la sauce à feu moyen pendant quatre à cinq minutes avant d'en napper les pâtes.
- Servez les tagliatelle dans des bols avec du parmesan râpé, si vous le voulez.

Pizzas à la polenta

Donne quatre pizzas moyennes ou 36 pizzas miniatures

Pour faire la pâte

250 ml (8 oz) d'eau

2 cuillerées à thé d'huile d'olive

une pincée de sel

225 g (8 oz) de polenta (préparation minute)

- Faites chauffer le four à 200 °C (400 °F/position 6).
- Amenez l'eau à ébullition dans une casserole à fond épais après y avoir déposé l'huile et le sel, puis versez la polenta en un trait régulier, en remuant sans cesse jusqu'à ce qu'elle épaississe (elle devrait avoir la consistance d'un porridge épais sans grumeaux).
- Versez la préparation sur une plaque à biscuits et passez-la au four pendant 10 minutes jusqu'à ce qu'elle commence à croûter sans dorer.
- Taillez-la en carrés ou en rectangles miniatures, tartinez-les de purée de tomate et garnissez-les à votre goût (voyez l'encadré ci-contre).
- Placez sous la salamandre pendant cinq minutes jusqu'à ce que la garniture fasse des bulles. Servez chaud et ou laissez refroidir avant de servir.

Garnitures à pizza

- Mozzarella
- Vieux cheddar
- Concassé de poivrons rouges et verts
- Tomates cerises taillées en deux
- Lamelles de champignons
- Thon ou saumon en conserve
- Jambon en tranches ou en dés
- Blanc de poulet ou de dinde émietté
- Tranches de salami ou de saucisses végétariennes précuites

Œufs sur pain de seigle

6 œufs

150 ml (5 oz) de lait entier ou de succédané au riz ou à l'avoine

175 g (6 oz) de haricots cuits au four en conserve

4 tranches de pain de seigle grillées

50 g (2 oz) de tomates cerises (rouges et jaunes, si possible)

- Fouettez les œufs et le lait jusqu'à obtention d'un mélange mousseux et versez dans une poêle à fond épais.
- Remuez vite les œufs sur un feu moyen, puis ajoutez les haricots cuits au four.
- Passez la poêle sous la salamandre pendant deux ou trois minutes jusqu'à ce que les œufs aient monté.
- Répartissez le plat en quatre parts et servez-les sur des toasts de seigle avec un concassé de tomates cerises en accompagnement.

Le pain de seigle remplace avantageusement le pain de blé car il comporte plus de fer et de magnésium, deux minéraux souvent absents lorsque l'on consomme peu de légumes. Tous deux sont essentiels au développement du cœur et du système cardiovasculaire.

Les œufs sont faciles à préparer, offrent une grande variété de minéraux et sont une bonne source de protéines. Ce plat fait un goûter léger mais soutenant aux enfants fatigués qui ont faim. On peut lui ajouter des haricots ou des légumineuses pour en faire un repas substantiel.

Exigences en matière de *vitamines* et de *minéraux*

À côté de chacun des éléments nutritifs qui figurent à la liste ci-dessous vous trouverez les quantités minimales recommandées afin de prévenir les carences selon les fourchettes d'âge précisées. On ne recommande pas de quantités optimales car elles varient selon les enfants. Il est peu probable que votre enfant consomme en quantité excessive tel ou tel élément nutritif au cours d'une journée, à moins qu'il ne mange qu'un seul aliment, ce qui n'est jamais recommandé (à moins qu'il ne s'agisse d'un test allergique supervisé par un praticien de la médecine ou un diététiste).

VITAMINES LIPOSOLUBLES

Mesurées en microgrammes (µg)
ou en unités internationales (UI)

Vitamine A/bêta-carotène

Nécessaires à :	Croissance, peau et dents saines, protection contre les infections, antioxydant et stimulant du système immunitaire
Une faible quantité peut provoquer :	Ulcères buccaux, peau sèche, cheveux ternes, cécité nocturne, infections, altération de la croissance

Doses quotidiennes nécessaires :

Naissance à 12 mois :	350 µg
1 à 3 ans :	400 µg
4 à 7 ans :	500 µg
8 ans à la puberté :	700 à 1 000 µg

Meilleures sources :	Cantaloup, citrouille, carottes, pêches, abricots, poivrons rouges, tomates, foie, jaunes d'œufs, produits laitiers, hareng et maquereau

Vitamine D

Nécessaire à :	Préservation de la santé des os par le biais de la rétention du calcium, favorise la formation des dents et la fonction musculaire. Agit également avec les vitamines A et C afin de stimuler le système immunitaire et de prévenir le rhume. Fabriquée en présence du soleil.
Une faible quantité peut provoquer :	Troubles des os et des dents, rachitisme dans les cas les plus graves.

Doses quotidiennes nécessaires :

Naissance à 12 mois :	8,5 µg ou 300 UI
1 à 3 ans :	7 µg ou 250 UI
4 à 7 ans :	10 µg ou 400 UI (à condition d'être exposé au soleil)
8 ans à la puberté :	10 µg ou 400 UI

Meilleures sources :	Sardines, harengs, saumon, thon, produits laitiers et jaunes d'œufs

Vitamine E

Nécessaire à :	Santé de la peau, développement du système immunitaire, santé du cœur et du système cardiovasculaire (elle liquéfie le sang). Aide à prévenir la formation de cicatrices lorsque la peau est égratignée, éraflée, voire après une intervention chirurgicale

| Une faible quantité peut provoquer : | Peau sèche, mauvaise cicatrisation, peau craquelée aux talons, infections fréquentes |

Doses quotidiennes nécessaires :

Naissance à 12 mois :	300 à 400 UI
I à 3 ans :	600 UI
4 à 7 ans :	700 UI
8 ans à la puberté :	800 à I 000 UI
Meilleures sources :	Huiles végétales, avocats, brocoli, amandes, graines de tournesol, œufs, germes de soja, grains complets, notamment avoine, seigle, riz brun

Vitamine K

Nécessaire à :	Formation des os, essentielle à un composé servant à la coagulation sanguine appelé prothrombine. (On en injecte au nouveau-né dans le quart d'heure qui suit sa naissance pour s'assurer que son sang a la consistance voulue dès qu'il est indépendant de sa mère.) À l'adolescence, peut contribuer à atténuer la spoliation sanguine accompagnant les menstruations.
Une faible quantité peut provoquer :	Aucun symptôme apparent

Doses quotidiennes nécessaires :

Naissance à 6 mois :	5 µg
7 mois à I an :	I0 µg
I à 3 ans :	I5 µg
4 à 7 ans :	20 µg
8 ans à la puberté :	de 30 à 55 µg chez les filles et jusqu'à 65 µg chez les garçons
Meilleures sources :	Yaourt bio, jaunes d'œufs, huiles de poisson, produits laitiers et légumes à feuilles vertes

VITAMINES HYDROSOLUBLES

Mesurées en milligrammes (mg)

Vitamine B1

Nécessaire à :	Production d'énergie, digestion des glucides, fonctions cardiovasculaire et cardiaque, système nerveux, état de conscience et fonction cérébrale
Une faible quantité peut provoquer :	Léthargie, faible concentration, irascibilité, dépression chez les enfants plus âgés

Doses quotidiennes nécessaires :

Naissance à 6 mois :	de 0,I à 0,4 mg
7 mois à I an :	0,5 mg
I à 3 ans :	0,7 mg
4 à 7 ans :	0,9 mg
8 ans à la puberté :	de I à I,I mg chez les filles et jusqu'à I,3 mg chez les garçons
Meilleures sources :	Céréales complètes, notamment avoine, seigle, millet et quinoa, légumineuses, levure déshydratée, foie et porc

Vitamine B2

Nécessaire à :	Digestion et métabolisme des glucides, des matières grasses et des protéines, production d'énergie, peau, cheveux et ongles sains, développement des organes sexuels, gestion du stress
Une faible quantité peut provoquer :	Peau sèche, commissures des lèvres craquelées, rougeurs aux yeux

Doses quotidiennes nécessaires :

Naissance à 6 mois :	0,4 mg
6 mois à I an :	0,5 mg
I à 3 ans :	0,8 mg
4 à 7 ans :	I,I mg
8 ans à la puberté :	de 1,2 à 1,3 mg chez les filles et jusqu'à 1,5 mg chez les garçons
Meilleures sources :	Yaourt bio, poisson, foie, lait, fromage blanc, légumes à feuilles vertes

Vitamine B3

Nécessaire à :	Production des hormones sexuelles et des hormones liées à la digestion des aliments et à leur transformation en glucose (glycémie, libération d'insuline et hormones thyroïdes réglant le métabolisme). Stabilisation de l'humeur, fonction cérébrale et système nerveux
Une faible quantité peut provoquer :	Irascibilité, fatigue, absence de motivation et de concentration, insomnie et déséquilibre de la glycémie

Doses quotidiennes nécessaires :

Naissance à 6 mois :	5 mg
6 mois à I an :	6 mg
I à 3 ans :	9 mg
4 à 7 ans :	I2 mg
8 ans à la puberté :	de 13 à 15 mg chez les filles et jusqu'à 17 mg chez les garçons

Vitamine B5

Nécessaire à :	La plus importante qui soit pour la glande surrénale, qui régule les réactions au stress à l'intérieur de l'organisme. Nécessaire à la transformation des matières grasses et des glucides en glucose pour fournir de l'énergie, essentielle aux systèmes immunitaire et nerveux. Particulièrement importante à la santé des oreilles, du nez et de la gorge.
Une faible quantité peut provoquer :	Infections fréquentes, irascibilité, piètre gestion du sucre dans le sang et fluctuations de l'humeur

Doses quotidiennes nécessaires :

Naissance à 6 mois :   2 mg
6 mois à 1 an :   3 mg
1 à 3 ans :   3 mg
4 à 7 ans :   4 mg
8 ans à la puberté :   5 à 7 mg

Meilleures sources :   Céréales complètes, dont seigle, blé, orge et millet. Noix, poulet, jaunes d'œufs, foie, légumes verts

Vitamine B6

Nécessaire à :   Système immunitaire, cerveau, système nerveux, digestion des protéines, croissance et cicatrisation de tous les tissus de l'organisme (agit en synergie avec le zinc)

Une faible quantité peut provoquer :   Dépression, fluctuations d'humeur, syndrome prémenstruel chez les filles, anémie, troubles cutanés

Doses quotidiennes nécessaires :

Naissance à 6 mois :   0,5 mg
6 mois à 1 an :   0,6 mg
1 à 3 ans :   1 mg
4 à 7 ans :   1,1 mg
8 ans à la puberté :   1,4 à 1,7 mg

Meilleures sources :   Poulet et volailles, viande, foie, jaunes d'œufs, poissons gras, poireaux, chou frisé, chou, produits laitiers et germe de blé

Vitamine B12

Nécessaire à :   Croissance, digestion, fonctions cérébrales et nerveuses, en particulier la concentration. Production d'énergie et fabrication de globules rouges. (apparente seulement après 6 mois d'une consommation insuffisante)

Une faible quantité peut provoquer :   Anémie, fatigue, hyperactivité avec déficit de l'attention et autres troubles afférents à l'attention. Agit avec l'acide folique au niveau du système cardiovasculaire

Doses quotidiennes nécessaires :

Naissance à 6 mois :   0,3 µg
6 mois à 1 an :   0,3 à 0,5 µg
1 à 3 ans :   0,7 µg
4 à 7 ans :   1 µg
8 ans à la puberté :   1,4 à 2 µg

Meilleures sources :   Viande rouge (foie, bœuf, porc), poissons et crustacés, œufs, produits laitiers, spiruline

Acide folique (l'une des vitamines B)

Nécessaire à :   Formation des anticorps (système immunitaire), digestion des protéines et des glucides, production d'énergie, prévention de l'anémie, prévention des malformations du tube neural pendant la grossesse

Une faible quantité peut provoquer :   Perte de l'appétit, anémie, troubles digestifs, fatigue, affections cutanées

Doses quotidiennes nécessaires :

Naissance à 6 mois :   25 µg
6 mois à 1 an :   35 µg
1 à 3 ans :   50 µg
4 à 7 ans :   75 µg
8 ans à la puberté :   de 100 à 150 µg

Meilleures sources :   Légumes à feuilles vert foncé, jaunes d'œufs, abricots, carottes, citrouille, courge, avocats, cantaloup, blé et seigle complets

Biotine (l'une des vitamines B)

Nécessaire à :   Peau, cheveux et ongles sains, digestion des matières grasses et des protéines, production d'énergie

Une faible quantité peut provoquer :   Affections cutanées, perte des cheveux ou croissance lente des cheveux, crampes musculaires, fatigue chronique

Doses quotidiennes nécessaires :

Naissance à 6 mois :   10 µg
6 mois à 1 an :   15 µg
1 à 3 ans :   20 µg
4 à 7 ans :   25 µg
8 ans à la puberté :   de 30 à 100 µg

Meilleures sources :   Riz brun, noix, levure de bière, foie, jaunes d'œufs, fruits

Vitamine C

Nécessaire à :   Fonction immunitaire, cœur et système cardiovasculaire, développement des hormones sexuelles, gestion du stress, santé des tissus cutanés (dont les gencives, le tube digestif et l'épiderme), cicatrisation des blessures

Une faible quantité peut provoquer :   Lente cicatrisation des blessures, peau sèche et autres affections cutanées, infections et virus fréquents, saignement des gencives

Doses quotidiennes nécessaires :   Souvenez-vous que l'organisme ne peut emmagasiner la vitamine C; il est donc essentiel d'en faire provision régulière par le biais de l'alimentation

Naissance à 6 mois :   30 mg
6 mois à 1 an :   35 mg
1 à 3 ans :   40 mg
4 à 7 ans :   45 mg
8 ans à la puberté :   de 45 à 60 mg ou davantage lorsqu'un adolescent commence à fumer. (On estime que chaque cigarette détruit 1,5 mg de vitamine C dans l'organisme.)

Meilleures sources :	Baies, agrumes, kiwis, pommes de terre, courge, citrouille, légumes à feuilles vertes, poivrons, choux, brocoli, chou-fleur, épinards

MINÉRAUX

Calcium

Nécessaire à :	Formation de dents et d'os sains, cœur et système cardiovasculaire, contraction musculaire, système nerveux. Agit avec le fer
Une faible quantité peut provoquer :	Crampes musculaires, constipation, irascibilité, insomnie

Doses quotidiennes nécessaires :

Naissance à 6 mois :	400 mg
6 mois à 1 an :	600 mg
1 à 3 ans :	800 mg
4 à 7 ans :	800 mg
8 ans à la puberté :	800 à 1 000 mg

Meilleures sources :	Légumes à feuilles vertes, amandes, saumon, produits à base de soja

Fer

Nécessaire à :	Croissance et développement, formation de globules rouges, véhicule l'oxygène au cerveau et aux autres organes. Agit avec le calcium et les vitamines B
Une faible quantité peut provoquer :	Fatigue, anémie, insomnie, sensibilité au rhume

Doses quotidiennes nécessaires :

Naissance à 6 mois :	6 mg
6 mois à 1 an :	10 mg
1 à 3 ans :	10 mg
4 à 7 ans :	10 mg
8 ans à la puberté :	jusqu'à 15 mg chez les filles (davantage lorsqu'elles ont leurs règles), 13 mg chez les garçons

Meilleures sources :	Foie, pêches, abricots, raisins secs, figues, dattes, jaunes d'œufs, viande rouge, noix, bananes, avocats, persil, cresson, épinards, chou frisé, brocoli

Magnésium

Nécessaire à :	Gestion du stress, production d'énergie, digestion des glucides, fonctions musculaires, cardiaques et nerveuses, fonctions cérébrales et mentales. Agit avec le calcium aux niveaux de la formation osseuse et de la fonction cardiaque, soulage les règles douloureuses chez les adolescentes

Une faible quantité peut provoquer :	Hyperactivité et agitation, fibrillation de la jambe, crampes musculaires, dépression et irascibilité

Doses quotidiennes nécessaires :

Naissance à 6 mois :	40 mg
6 mois à 1 an :	60 mg
1 à 3 ans :	80 mg
4 à 7 ans :	120 mg
8 ans à la puberté :	de 170 à 180 mg chez les filles

Meilleures sources :	Tous les légumes verts, agrumes, maïs sucré, amandes, champignons, noix et graines, figues, raisins secs, carottes, tomates, oignons et ail

Sélénium

Nécessaire à :	Système immunitaire, protection contre les virus, santé de la peau. Agit avec la vitamine E
Une faible quantité peut provoquer :	Peau sèche, pellicules, affections cutanées, cicatrisation lente, infections et rhumes fréquents

Doses quotidiennes nécessaires :

Naissance à 6 mois :	10 µg
6 mois à 1 an :	12 µg
1 à 3 ans :	20 µg
4 à 7 ans :	25 µg
8 ans à la puberté :	de 30 à 45 µg

Meilleures sources :	Crustacés, graines de sésame, germe et son de blé, tomates, brocoli et noix du Brésil

Zinc

Nécessaire à :	Système immunitaire, digestion des protéines, production d'énergie, développement des organes sexuels et du système hormonal, fonctions cérébrales, régulation du système nerveux et de l'humeur, cicatrisation des blessures
Une faible quantité	Pâleur de la peau, lente cicatrisation des blessures, infections fréquentes, mouchetures blanches sur les ongles, perte du goût ou de l'odorat, érythème autour de la bouche ou de l'anus

Doses quotidiennes nécessaires :

Naissance à 12 mois :	5 mg
1 à 3 ans :	10 mg
4 à 7 ans :	10 mg
8 ans à la puberté :	12 mg chez les filles et 15 mg chez les garçons

Meilleures sources :	Viandes rouges, poissons, crustacés, volailles, céréales complètes, noix, graines, jaunes d'œufs, produits laitiers, avoine, seigle, sarrasin, riz brun

Index